i

为了人与书的相遇

北方大道

李静睿——著

NORTHERN BOULEVARD

广西师范大学出版社
·桂林·

时代的反义词

　　这本书写于二〇一三年至二〇一六年，几年间我的生活看来平静，但在隐秘的地方，变化悄然发生，我试图注视这些变化，就像在经久不散的雾霾中试图看清某个怪物的含混轮廓，于是就有了这本书。

　　这并不意味书中的故事有趋同的主题，它们之间并无明显关联，书中既有历史和人心的混杂产物（《北方大道》、《椰树长影》、《永生》），也有完全纯粹的情感故事（《我和你只有这四个夜晚》），更有一些无法定义的故事（《盐井风筝》、《柠檬裙子》）。因我想写的东西太多：从命运到爱情，从世道至内心，当中唯一相通的，大概是人的软弱、挣扎与犹疑，有时是面对权力，有时是面对爱情。

　　书中的人生活在北京、自贡、纽约和东京，因这是几年间我最熟悉的城市，我虚构人物，却无法虚化背景，而城市本身，似乎也在暗示命运。二〇一五年，我在东京生活了三个月，东京严谨、笃定、森然有序，大家列队走过十字路口，又列队走上地铁扶梯，这个城市也许有隐秘的冲动迷茫，但起码从表面看起来，它臣服于明确的秩序、既定的规则，像一个人到了中年，不再想奋力对抗些什么。那时我非常想念纽约，想念深夜的地铁，混乱的下城，整个城市都在无方向地流动，像混沌初开，一切尚未被命名和定型，像三十岁的我。

大概用了十年时间，我从一个正常意义上的文艺女青年，变成今天的自己，这种转变并不快乐，却已不可撤销，如同混沌初开之后，上帝说"要有光"，于是我知晓明暗，辨析善恶。吃下禁果意味着被乌托邦驱逐，远离无尽无涯的快乐，意味着与生俱来的罪，却也意味着自由。自由让我不想和生活和解，而决心保持愤怒，决心不要温和地走进那个良夜，而怒斥光明的消逝。愤怒并不是一件姿态优美的事情，好像也不大适合中年，但它确认了自我的存在，这几年中我反复阅读陀思妥耶夫斯基的《宗教大法官》，陀引用了席勒的《愿望》："没有得到天上的保证，只好相信内心的声音。"我试图寻找内心的声音，并由此反复询问自己：你是要自由，还是要安全？

当然是"自由"，即使这意味着重负，意味着一种不可知的动荡前程，就像《自由宪章》中所说，"更为重要的是，我们还必须认识到，我们可能是自由的，但同时也有可能是悲苦的。自由并不意味着一切善物，甚或亦不意味着一切弊端或恶行之不存在"，我想写的正是这样的故事，想要自由，又难逃悲苦。

有件事非常奇怪，我惯于书写软弱的人性，含糊的情感，却在书写的过程中，获得了某种越发清明的勇气，这种勇气让我决心更加严肃地活着，既拥抱文学，也关心当下，为我相信的价值徒劳地努力。这个时代大概有它火热的主题，我却只想待在一旁，做一个冷冷的反义词。

李静睿

二〇一七年三月二十九日于北京

目 录

北方大道

Northern Boulevard

1

纽约大概从早上六点开始下雨,明明睡得黑沉,却清晰无误听见水声。

林立成梦见自己要把水龙头拧上,但无论如何拧不紧,梦境有一种切实焦虑,让他渐渐下沉,一路坠至噩梦,又终于挣扎着醒过来。黑暗中他睁开眼,又望向黑暗,他倒是习惯,反正不是这个噩梦,也会是另外一个,相形之下,他愿意去拧一个永远拧不紧的水龙头。

起床上厕所的时候刚好六点半,林立成发现自己忘记关窗,天光渐亮,书桌上站着一只鸟,淋湿了翅膀,正在一口口啄他最后两片全麦面包。面包本来应该放进冰箱,但前几天冰箱坏了。家里的东西分批分次坏掉,厕所里总是黑着灯,四个灶眼有三个出不了气,沙发的一只腿瘸了。每天晚上林立成读一会儿书会突然歪一下,他又调整回来继续读。

房东是个中年广东男人,舍不得花钱请工人,被林立成逼紧了会自己拎个工具箱过来，敲敲打打一会儿，有时候灯就又能亮几天。林立成站在边上看着，也会微弱地表示一下意见："你这样不行，美国的房东都是包修理的……你再这样我就去投诉了。"其实他也不知道去哪里投诉，他是没有毕业证的北大国际政治系学生，来美国后四处做了一通访问学者：哈佛、耶鲁、哥大，最好的大学，最高的奖学金。最远去到芝加哥，夏日清晨，和当时的女朋友在密歇根湖边上做爱，两只海鸥远远看着他们，叽叽咕咕，表达好奇和疑问，林立成竭力想集中精神，却还是渐渐疲软下来，只能拉上拉链。他忘记那个女朋友的模样，却记得她温柔地握住他的手，说："没关系，以后还有时间。"但他们很快分了手。走了大半个美国，最后回到纽约，却也是每天打开中文的《世界日报》。林立成没有住在纽约，他只是住在法拉盛。

　　房东赶紧递上来两根烟，广东话夹杂着普通话说："不要这样啦，大家都不容易啦，我还欠着移民律师两万块啦，请个工人，什么都不做，上门就是八十啦，大家都不容易啦……来，抽支烟，我表哥从国内带过来的软中华。"烟还没抽完，林立成又已经软了，他总是太容易软下来，所以去厕所还是得拿上手机，APP里有一款手电筒，白晃晃照出前路，强光灼人，让阴影处更显黑暗。

　　上完厕所后他彻底醒了，索性抽了支烟，十四块一包的硬中华。那只小鸟还在，面包被啄出一个洞，林立成吐出烟圈，又努力想让烟圈穿过面包上的洞。小鸟停下来，歪头凝神看那烟圈渐渐散开，林立成突然认出，这是一只普通燕鸥。他前一个女朋友——可能只称得上女人——喜欢鸟，上过大概十次床之后，拉着他去过一次中央公园。两个人坐七号线到时代广场，然后一路往北走进公园，坐的是慢车，晃晃荡荡快一个小时才到。走到一半林立成就开始坐立不安，许久没有出过法拉盛，一出地铁，林立成惊恐地只想找地方撒尿，好像他是一只养在皇后区的猫，唯有如此才能划定活动范围。最后是在 AMC 电影院边上的一家麦当劳完成这件事，撒到一半进来一个黑人，林立成赶紧穿上裤子出门，导致整个下午他都觉得自己处于未完成状态，肚子里哐当作响，进了几次卫生间还是如此。

沿着第五大道走到尽头，中央公园照例是酸酸马粪味，混杂一股法拉盛韩国餐馆里常有的野葱香。马车上是污脏的红色丝绒座椅，林立成担心女人想坐马车，他不想出那五十美元，更不想在曼哈顿上城这样明目张胆地存在——公园附近住着不少他认识的人：哥大的访问学者，对八十年代满怀想象的学生，那些研究中国的美国人。林立成担心在这里遇到他们，在草地、落叶和有蓬松大尾巴的松鼠前尴尬冷场；中央公园有一种明亮柔情，让人难以启动对往事的回忆，而除了往事，林立成觉得自己和他们无话可说。到了现在，他和谁都是无话可说。

　　还好女人只是拉着他一路走到湖边，指着地上的一只鸟说："看到没有，那是普通燕鸥，Common tern，还有一种有黑眼圈，叫加拿大燕鸥，Forster's tern。"林立成竭力表达兴趣，燕鸥浑身雪白，鲜红色尖嘴和爪子，头顶是一片漆黑羽毛，林立成想，配色倒是不错，像一套性感内衣，也许女人穿上会好看。做爱时林立成喜欢开灯，看她苍白皮肤下的青色血管，和眼窝下面的淡青痕迹，她可能更接近于加拿大燕鸥。过了一会儿那只燕鸥飞走了，又过了几天，那个女人也离开法拉盛。林立成没有留她，他喜欢晚上睡觉前反复抚摸女人的大腿，也舍得周末带她去东王朝吃个海鲜自助餐，但他并不知道如此往下，他们还能走到哪里。两个人在一起刚好三个月，一段既不让人尴尬、也说不上遗憾的关系。

　　林立成半年没有做爱了。大年三十前后那几天下大雪，他把暖气开到72华氏度，还是每晚三点准时冻醒，下半身尤其冰凉。大年初三他想找个妓女，算是过年，走到缅因街上茫然逛了半个小时，平时无处不在的小广告齐整整失踪，好像这个行业也在休春假。街头有喧天锣鼓声，几只短短的龙跳进商铺讨要利是。最后一无所获，林立成只好在新世界商场楼下胡乱吃了碗羊肉烩面，回家继续上网找，他斟酌良久，却不知道用什么搜索关键词。正打算放弃，却在门缝里看见一张彩色小广告，印一个看不清样子的大胸少女，穿玫红色三点式，广告词是"少女上门服务，小身体好酥"，下面是英文和西班牙语。法拉盛有时候会有墨西哥人过来，但据说他们喜欢胖胖黑黑的中国女人，并不是眼前的雪白少女。广告上的电话林立成最后没有打，当天晚上雪就停了，气温慢慢往上走，有时候半夜醒过来，也会思念很酥的小身体，林立成就竭力回想那张广告上的大胸少女：浑身上下Ｐ成一片惨白，隐隐约约露出粉红色乳头，然后他自己完成了这件事。那张小广告林立成没有扔掉，一直放在窗台上，他想，还会有下一个冰凉冬天。

今天晚上林立成要去见王凌薇，大四冬天他们在博雅塔下接吻，嘴唇碰及嘴唇，林立成没有伸出舌头，他想，没关系，以后还有时间。燕鸥飞走之后不久，雨也渐渐停下来，林立成犹豫了几分钟，坐下来把中间有洞的面包片吃了，略微潮湿，但他并没有别的选择，这是最后的面包。他看见窗下的荆条开出第一朵黄色小花，春天已经到了，这是另一个春天，原来他总是没有选择，原来他和王凌薇不再有时间。

2

林立成九〇年六月来到美国，第一站就是纽约。在肯尼迪机场下飞机后，有一群不认识的学生来接他，手捧一大束花，大家轮番拥抱，都落了泪，那束花最后被挤得粉碎，黄色雏菊的汁液沾在白衬衫衣襟上。衬衫他留到现在,那点颜色始终没有洗去。林立成不喜欢菊花,总觉得自己像是一年前已经死于某个夜晚,现在正被轮番拜祭,墓碑上空无一字,坟还修到了美国。纽约满街都是灰黑色鸽子,北京只有傍晚时分漫天飞过黑鸟,叫声嘶哑,仔细一看都是乌鸦,那个傍晚正是如此。

他在里面待了六个月,并没有立案,就是那么语焉不详地关着,里面伙食不好,出来后很长一段时间,林立成总感饥饿,十二点吃一大碗卤肉面条睡下去,五点又得饿醒,床边就是饼干桶,拿本书垫着窸窸窣窣吃两块,才又能睡两个小时,唯有沉甸甸的食物让他安心。刚开始他四处被请,酒桌上听到不知道多少声"英雄",顺着整只整只的烧鹅吃下去,三个月胖了30磅,藏身于软软肥肉之下,林立成感到高兴。后来宴请慢慢消失,他瘦了下来,现在体重跟二十三年前几乎一模一样,林立成连头发都没有变稀疏,只是略微斑白,书桌上放着一张他刚到美国时在哥大图书馆门口拍的照片,骤眼望去和现在并无区别,要细细察看,才能发现他走失的魂魄。

回纽约后他就一直住在法拉盛,房子在北方大道和150街的交界处,那里其实已经到了韩国人的地方,两个街口外就闻到泡菜味,院子里堆满大白菜,像是中国北方的冬天。有时候他会恍神,觉得自己已经回到北京。他艰难地找到一个中国房东，林立成不想跟中国人住太近，却又不敢住太远，房子是一栋 townhouse 的三楼，他不想走前门和楼下住户遇上，就总爬防火梯上下，三年里他一次也没有在这附近遇到过什么人。林立成希望自己遇到人的时候已经完全准备好，在法拉盛以外的地方，他总是准备好的。

窗外有一棵高大椴树，春末开出满树小白花，花香有点像四川老家的茉莉，林立成一直没有回去过，他其实也不确定自己能不能回去，但经历类似的人都说不行，他就懒得往返几次中国大使馆。他根本不想去曼哈顿，他也拿不准自己是不是那么想回去。大使馆在 42 街的尽头，正对着那艘航空母舰，林立成去年才知道它叫无畏号，也是前一个女人告诉他的，纽约的中国女人好像知道一切：百老汇的音乐剧，大都会的特展，42 街的苏格兰菜。有一次早上做完爱，女人一边穿内衣一边说："我们今天下午去看无畏号好不好，那边上有家川菜馆很好吃，回锅肉是用蒜苗加青红椒炒的，泡菜里有鲜菜头。"林立成漫不经心抽烟，又漫不经心嗯嗯啊啊了几下，但最后还是在家看盗版电影，留在法拉盛吃了晚饭，法拉盛有朵颐和川霸王，哪里的回锅肉不是蒜苗加青红椒，哪里的泡菜没有鲜菜头。女人没有说什么，闷声吃完饭后就回了家，没有继续住下去，林立成后来才想起来，不知道从什么时候开始，她渐渐不再说话，好像每个女人到了一定时候，都不再说话。

其实也没有怎么缺过女人。刚开始几年，从中国来的学生广受欢迎，美国太平静，稍微有点起伏的故事都成为春药。在哈佛当一年访问学者，林立成有好几次机会，三十多岁的犹太女人在他房间里谈阿伦特，谈完了一直不走，嘴唇嫣红，谈极权主义也像在号召接吻。林立成反复挣扎，终究是把她送下了楼，楼梯逼仄陡窄，林立成走在后面，高高看见她右边乳房上浮动的红痣，当然也有点后悔。但在那个时候，他觉得自己不能和别人一样，"别人"到底是谁，他又有点糊涂。后来中国男人的风头过了，从东欧进来的男人们开始讲柏林墙和七七宪章的故事，他们个子更高，有实打实六块腹肌，能用德语读里尔克和保罗·策兰的诗，马上成了一种更为猛烈的民主春药。

二十三年里林立成有一次差点结婚，那时候他在旧金山，有人拿到美国国务院的一笔资金，成立了一个研究机构，这也是林立成在美国唯一真正拥有工作的两年，税后两千五，保险自理。他就一直没有买保险，他有来自法拉盛的板蓝根，一感觉发热就冲两包，肠胃不舒服喝半瓶藿香正气水。

胡敏之是加州伯克利的研究生，专业忘记是经济还是管理，他们好上的时候她快毕业，两腿晒得漆黑，因为老去裸体沙滩，脱下衣服，连比基尼线都没有色差。林立成不大清楚胡敏之为什么看上自己，他没有钱，更谈不上前程，是个在加州几年依然坚持苍白的男人。和她在床上不敢开灯，一切在黑暗中静悄悄进行。

胡敏之毕业后没有找房子，搬进了林立成的公寓，她出钱把家具全部换成实木，又买了整套瓷器，每天早晨上班前煮好咖啡，又煎两个蛋，咖啡杯和瓷盘上都画着一只蓝色的鸟，林立成在这些蓝色里沉溺下来，拿不准还要不要挣扎。有一个周末他们一起开车去圣地亚哥的拉荷亚海岸看海豹，天空是一种让人心惊的蓝色，胡敏之穿一条蓝色无袖真丝长裙，没有式样，腰上系一根白色皮带，古铜色平底凉鞋，鞋面上有一块蓝色玻璃，走在木质廊桥上那块玻璃一直反光。蓝色铺天盖地而来，林立成睁不开眼，几乎就要求婚。但天突然阴下来，他一下恢复了视力，说："走吧，今晚我们去洛杉矶住好不好，看起来要下雨。"

又过了大半年，研究机构的钱终于花完了，林立成回到纽约。胡敏之找了家华人货运公司，把全套家具运过来，现在就放在房间里，林立成每天拉开古铜把手拿衣服，并没有总想到胡敏之。那套瓷器留在了旧金山，她大概还是天天早上煮咖啡煎鸡蛋，还是那只蓝色的鸟。林立成有时候会想，可能两个人都觉得幸亏。

3

约会定在六点半，是"小东京"里的一家烤肉店，地点是王凌薇选的，她从宾馆能步行过来。林立成也愿意吃烤肉，实在无话可说，还能低头烤一会儿五花肉鲜牛舌，油滴到炭火上嗞嗞作响，就像有一个努力圆场的人坐在边上。他四点就出了门，还是坐七号线到时代广场，还是半路就开始惊恐不安，还是一出地铁就找麦当劳上了个厕所。本来应该转 R 或者 N 线坐到 NYU，但林立成决定走过去，也就不到四十个街口，地上微微积水，林立成一路留心自己的皮鞋和西裤是否被溅上泥点。他今天特意打扮过了，灰色西装是成套的 Tommy，有一年圣诞节打折的时候买的，不到 300 美元，偶尔参加会议他就把这套和另外一套藏蓝色 CK 轮换着穿，但是会议渐渐少了，来来回回都遇到同样那几个人，来来回回说着同样那几句话。发言的时候林立成总觉得尴尬，盼着这一切早点结束，他能回到北方大道的家中，重新穿上 Walgreens 里买的 T 恤，十块三件，美国人的中码也大，身体躲藏其中，灵魂就没有那样突兀。

他和王凌薇在微信里重新遇上。有个大学同学建了一个群，把他们都拉进去，几十个人有一句没一句地在群里说话，不过是一团混乱，林立成很少发言，但他每天睡前会把当天群里的消息全部看一遍，有些人懒得打字，他就一遍遍听那些语音,把手机开到最大声。私聊第一句话是王凌薇主动说的,短短几行字:"你现在是不是在纽约?我下个月要过去开几天会,方便的话出来见见吧。"

林立成当时就看到了,但是过了半天才回复,算准时差,北京正是半夜:"好的,我的电话是(917)-982-5982,你到时候联系我。"

中间的一个月他们没有再发过微信。林立成会随时拿起手机,确认王凌薇有没有在群里说话,然后反复点进她的朋友圈,看到她先去上海,再去杭州,终于来了美国。前天他接到电话,王凌薇的声音跟大学时候一样有点沙哑,语速很快,每一句话好像都在着急着赶紧说出下一句,但约好时间地点后她突然慢下来,说:"我到时候穿蓝色风衣,怕你走进来认不出我。"

王凌薇一走进烤肉店林立成就看见了,蓝色风衣长到脚踝,下面是黑色细高跟鞋,吃烤肉得脱鞋,林立成偶然看见她黑色丝袜里的脚趾,身体却没有意想之中的反应。她还是鹅蛋脸,化极淡的淡妆,却涂大红口红,暖黄灯光下皮肤略微松弛,颜色是一种发青的雪白,她依然是个美人。王凌薇坐下来丝毫不觉生疏,说:"纽约今天刮好大风,你看我头发都吹乱了。"好像他们昨天才去了未名湖,现在正在学五食堂吃鸡腿饭。

菜一样样端上来,王凌薇点了两份牛肝,一股腥味,林立成还是吃五花肉，包在生菜里一口咬下去，他没有加蒜片，虽然两人隔着一个足够安全的距离。烤好的牛肝渐渐凉下去，香菇和红薯片还在烤盘上翻面，他已经知道王凌薇几年前离了婚，现在一个人住在北京，"就在老蓝旗营那边，你记得吧，挨着清华南门，北大东门走过去也不远……现在那里有家书店，老板以前也是北大的，和你的经历差不多，进去了一段时间，又出来了"。

她前夫是北大某个理工科教授，离婚后把房子留给她，王凌薇本科毕业后读了一个法学硕士，现在外企做 in-house 法律顾问，就在五道口上班，"……你知道现在我们怎么说五道口吗？宇宙的中心。"她拿出手机，给他看五道口的照片，上班时间的地铁口，漫长等待的人群，不少人手里拿着煎饼。很多年以前，北四环外就是郊区，两个人各自骑一辆自行车去到双榆树，那里有一条路，白杨长到天上，银杏落下心形黄叶，他们坐在银杏树下吃煎饼，又继续往前，以为这条路通往确凿无疑的未来。

林立成说话不多，他一直等着王凌薇问自己这二十几年怎么过的，他倒也不恐慌，反正每次见国内过来的人都得回答这个问题，林立成疑心自己已经默背出了正确答案："……我也不知道，反正就这么过了……没挣到钱，当然……但不知道怎么也没饿死，要是以后真的熬不下去了，我就去给中国超市开卡车运货，在美国也就学了这么一门技术，听说有些超市还有医保。"然后哈哈笑出来，猛灌一杯冰镇啤酒。没人会继续问下去，一股心照不宣的怜悯在饭桌上慢慢散开，林立成觉得恶心，纽约的中餐馆口味太重，回锅肉到最后咸得下不了筷子，连炒个凤尾菜，也汪在油里。

但这次他说了另外一个未经编辑的版本。也许是最后上的抹茶蛋糕味道纯正，也许是吃到后面她的口红渐渐晕开，脸上浮动水汽，正是他认识的那个王凌薇，"……开始十年就是在各个大学里转，你知道，那个时候从国内过来的人也好申请资金，有时候同一个项目，学校和外面的机构会给两份钱，我就尽量把其中一份存起来，那个时候我就知道，这种日子不会长久的，我得有点打算。

"后来果然申请不到钱了，我本来想读个博士，但美国的文科博士一读就是七八年，我觉得自己有更重要的事，就一直犹豫没有申请……后来才知道，其实没有，哪里有什么重要的事，我又不是什么重要的人……再后来心就散了，没法再去读书了……工作？大部分时候我都没有工作，在各种研究机构里挂个名，有时候靠积蓄，有时候靠不知道哪里来的一点钱，帮人做点什么事，反正总在觉得好像熬不下去的时候，发现自己又熬下去了……存款是几乎没有的，这几年我一直替一个机构编电子杂志，他们给的报酬很少，但是给我买保险，你知道吧，在美国只要有保险，心里就不怎么慌了。

"……不用，你不用太担心。我不是太穷，我租的房子在法拉盛，是一个 house 的一整层，有两个卧室，房子有点旧，但是在纽约能住这么大，也算还可以……我从来没有为吃饭紧张过，每年还能去欧洲逛逛，有时候抓着开会的机会，有时候老早买好特价机票。你去过威尼斯吧，我觉得我想死在那里，那个城市……那个城市跟我差不多，一直都在下沉。有个诺奖诗人，苏联人，流亡后也是住在纽约，好像就在东村，离这里很近。他死后就葬在威尼斯，苏珊·桑塔格就说，这是她的理想归宿，因为威尼斯哪儿都不是。

"真的别担心我，我没有过得多差，我只是过得……和之前想象得不一样。但是你说谁过得跟想象一样呢，你也不见得吧？"

账单送上来，两个人加税八十美元，他掏出信用卡，写了 20% 的小费。王凌薇并没有像大部分人，听完故事后就抢着买单，她去了一趟洗手间，回来的时候已经补好了口红，大概也补了粉。林立成有点想念她刚才的样子，脸上微微出油，烤肉的时候靠近了，看得到额头眼角都有细细皱纹，他对着现在无懈可击的王凌薇，也就无话可说了。

林立成送王凌薇到 SOHO 的宾馆，雨已经停了，走了一会儿裤脚上还是糊了不少泥，林立成有点着急，得早点回去把裤子脱下来擦擦，不然拿去干洗又是二十美元。烤肉店里被炭火慢慢烤出来的情绪，十分钟就迅速走散，王凌薇走在边上，也只是一个上了点年纪的漂亮女人走在边上而已，林立成觉得曼哈顿的夜晚灯光太亮，他想回到黑漆漆的北方大道去。

走到宾馆楼下，王凌薇突然说："要不你上去喝杯茶，我带了一点今年的新茶，是六安瓜片。"

4

凌晨两点，王凌薇裹着床单去洗澡，林立成喝了一口冷掉的茶，他这才想起王凌薇是安徽人，这是她的家乡茶。以前每年放假，他送王凌薇去火车站，她总要说："立成，你什么时候来我家？我们去黄山脚下住两天好不好……最好是春天，我们逃一周课过去，赶上油菜花开的时候，山上还有杜鹃，每顿饭都能吃笋。"

他们接过吻后不久，林立成答应第二年春天就跟她回去，谁知道四月初王凌薇的父亲病重，她匆匆赶回家去照顾，第一封信寄到北京的时候，林立成已经几乎住在学校外面。信是同学带过来的，打开就是两句海子的诗，一句是"你是我的 / 半截的诗 / 半截用心爱着 / 半截用肉体埋着 / 你是我的 / 半截的诗不许别人更改一个字"，另一句是"坐在烛台上 / 我是一只花圈 / 想着另一只花圈 / 不知道何时献上 / 不知道怎样安放"。她回家前就知道海子死在了山海关，哭了几次，林立成在宿舍楼下抱住她，一字一顿地读诗："黄昏是我的家乡／你是家乡静静生长的姑娘／你是在静静的情义中生长／没有一点声响／你一直走到我心上。"

那是在三月底，两个人都还穿鼓鼓囊囊的棉服，抱得久了林立成的手开始移动，想伸进衣服里，但进入最后一件棉毛衫的时候停住了，他依然想，以后还有时间。林立成记得他几乎隔着棉毛衫握住了王凌薇的乳房，不算大，只是极软。在里面的时候，林立成想到那种感觉，会忍不住向虚空伸出右手。

那封信林立成看到后就觉得不祥，他没有立刻给王凌薇回信，后来也就忘了，一直到进去的时候换狱服，才在夹克的内袋里找到，一张纸叠出了深深折痕。出狱后他把那封信放进一本《首脑论》，从中国带到美国，却再也没有打开过，今天出门前他翻了一会儿，翻出来放进钱包。把这封信递给王凌薇后不久，她慢慢凑过来，酒店里的暖气可能有75华氏度，她只穿了一件薄薄的白色丝质衬衫，下面是烟灰色一步裙，乳房边缘蹭住林立成的手臂，那种极软的触觉又回来了。林立成想解释，自己带这封信出来，并不是为了和王凌薇上床，但他有点担心，也许这是最后的夜晚，也许他们不会再有时间。他最终选择一把拉下那条裙子，裙摆太窄，几乎卡在大腿中间，是王凌薇自己让它掉在蓝色地毯上。

做爱过程并不激烈，却有一种悠长缠绵。结束后他们在床上说了一个小时话，这一个小时就像把当中的二十几年时间剪断，用今天的胶布直接贴上大四的春天，那时候他们正计划着一起留京，然后分一套房子。

王凌薇说，我可以来纽约读一年的 LLM，考一个纽约州的 Bar，即使考不上也没关系，我有点存款，蓝旗营的房子卖掉还起码值一百万美元，足够我们住在新泽西或者康州。钱从来不是真正的问题，你说对不对？

林立成说，我什么都没有，但是我过去这么些年，就没有想过要结婚，要是你真想好了，我们明天就去纽约市政大厅登记吧。等会儿天亮了我们去第五大道逛逛，买个小戒指，Tiffany 好不好，如果只是一个指环，我还是买得起。

他们又接了一会儿吻，窗外有不知道什么人砸碎酒瓶，王凌薇说："我们也开瓶酒好不好？我正好买了两瓶好酒想带回国。"

于是开了一瓶 Piont Noir，王凌薇又去卫生间洗了一盒草莓，把一个极大极红的喂进他嘴里，说："你看，要是当年你跟我一起回老家多好，我们就都算躲过去了……你这二十几年有什么意义，全浪费了。"

林立成明明握着红酒杯，不知道怎么慢慢浮起来，他看见自己把杯子扔上墙壁，玻璃千万片碎开，血一样颜色的液体渐渐渗进墙壁。他又看见自己打开房门走出宾馆，一口吐出那半个在嘴里转来转去的草莓，同样是血一样颜色，只是里面混着一点固体，就像打得零零散散的肉。

　　林立成在凌晨四点回到北方大道。他从窗台上拿起小广告，一个多小时后，就有个安徽姑娘躺在怀里，小身体很酥，他觉得这五十美元实在值得。

AI

"你要不要再摸一下？"小叶问我。她已经换好手术服，栗色卷发梳成髻，等会儿再塞进帽子里。染发烫发的时候还不知道生病，染完她回到家中，我没有注意到这件事，我没有注意到很多事。

我摸了一下。右手从衣服下摆伸进去，握住她左边乳房，我刚洗了手，乳头被凉意激得站起来，像以前真正的抚摸之后。我们都有点尴尬，毕竟好一段时间没有性生活，开始是因为不想，后来她体检，又去做了复查，最后切片报告出来，我巧妙地躲进整个确诊流程。

"另外一边呢？"小叶看我把手收了回去。

"那边就不用了吧……"她点点头，知道我下面想说什么，另一边以后毕竟还在，不用急在这一时。就我们在病房里，她坐床上，我坐床边，沉默像癌细胞一般扩散开来。窗外有株老槐树，十一月底，徒留灰色枝干，在灰色雾霾里显出轮廓，我想到以前跟小叶说过，房子边上不要种槐树，因为槐树里有一个鬼。

医生来看了一眼，神态轻松，手持肯德基法风烧饼。医生一直神态轻松，毕竟我们只是一期患者及其家属，"没问题，割掉就是了，真的没问题"，好像是割一茬韭菜，但小叶的胸长不出第二茬。大学时我们首次突破棉毛衫这一层，我先握住左边，再移到右边，小叶不到十九岁，一切都没有真正定型，在我手中有一种犹豫不决的形状。后来我和它们很熟，右边那只稍大一点，但左边的乳晕边有颗红痣，开始几年我经常含住那颗痣，后来几年频率降了下来，最近几年，小叶总穿着内衣睡觉，我们没有讨论过这件事为什么发生，毕竟更多发生的事情，我们也没有讨论过。

我陪小叶下楼，看她进了手术室。场景配不上应有的心情，她自己走进去，双手插袋，看起来很健康，我一直以为她很健康。手术前不能化妆，我给她带了一瓶面霜，她细细涂上一层，我在边上看她，这么近的距离，我发现她的皮肤有点变化，这也没有什么值得感慨，时间意味着变化，在所有领域，无一例外。

我本来打算一直在手术室外等着，丈夫好像应该这么做。但两个小时后我就下楼抽烟，只要在结束前回去就行，我想，没有人会知道。协和医院门口有一种丧气的繁华，号贩子们行为鬼祟，大概以前也在中关村卖盗版光盘，神色阴鸷的男人在狭隘人行道上铺开塑料布，卖"中药抗癌无副作用一周起效"，身体残缺的人缓慢爬行，向每个人伸出污脏的手。在这种背景下，我莫名觉得饿了，走到马路对面的云南米线店，点了最贵的一套过桥米线。

林夏给我打电话："手术结束没有？"

"还没有，得到下午。"

"她情绪怎么样？"

"还可以，她一直都还可以。"

米线滚烫，我先吃鱼片和鹌鹑蛋。林夏在电话那边沉默了一会儿，又说："你什么时候去东京？"

我略加迟疑，还是回答了："后天早上的飞机。"

"你知道吧，我有日本的五年签证。"

"你不能去，等我回来再说。"

"不等了，我们东京说。"她挂了电话。

小叶生病的事情我们没有往外说，解释一切是个麻烦，也会让这件事显得不可回转。我和小叶都相信这件事，坏消息没有被说出口，就没有真正发生，就像过去几年，我们从来没有跟任何人说过，婚姻生活有了问题，我们连对方都没有说过，因为谈论意味着确认。

没有人知道她今天手术，除了林夏，她不认识小叶，她是我的……情人。米线汤渐渐凉下来，肉片的腥味变得明确，我想另外寻找一个词语定义我们的关系，但没有找到，我寻

找不到词语否认这件事，林夏是我的情人。我的妻子正在做
左乳房切除手术，而唯一一个对她表达关切的人，是我的情人。

　　飞机上我睡了一觉，醒过来一边看机载电视里的《老友
记》，一边又浏览了一遍赫赛汀的资料。

　　　　赫赛汀（注射用曲妥珠单抗），适应症为转移性乳腺
　　癌：本品适用于HER2过度表达的转移性乳腺癌：作为单
　　一药物治疗已接受过1个或多个化疗方案的转移性乳腺
　　癌；与紫杉醇或者多西他赛联合，用于未接受化疗的转
　　移性乳腺癌患者。乳腺癌辅助治疗：本品单药适用于接
　　受了手术、含蒽环类抗生素辅助化疗和放疗（如果适用）
　　后的HER2过度表达乳腺癌的辅助治疗。

　　这段话我读过多遍，每个令人费解的词都搜过维基百
科，但组合在一起还是令人费解。总之这是小叶需要的药物，
一年四十万，不纳入医保，我们拿得出第一年的四十万，但
万一还需要一年就得借钱。我们都不想借钱，日本的赫赛汀
要便宜三分之一到二分之一，所以我来了东京。我也可以去
香港或者印度，但我想来东京。我还可以找人代购，有点麻烦，
但并非不能实现，可我想出来几天。林夏是我的情人，妻子

刚做完手术我却想出来几天，我试图一一否认的事情，都一一变得不可辩驳。

我住涩谷东急酒店，林夏坐在大堂沙发上等我，她坐另外一个航班，因为我们需要从不同航站楼出发。林夏穿姜黄色风衣，深灰丝袜，平跟绑带黑皮鞋，头发乱蓬蓬梳上去，像不知道哪部电影里的汤唯。她化了淡妆，口红很艳，衬得脸色更差。我们有一个月没有见过，骤然见到，我只觉她比小叶更像病人。林夏只拿了一个黑色手袋，好像她是从通州赶到东二环，我们在日坛公园里那家小王府约会，坐在露台上，开始两个人面对面坐着，后来天色暗了，露台下有人跳广场舞，在喇叭式音响的掩盖下，她坐到我边上来，我们并不敢公开有什么举动，但她喜欢坐在我边上。

我们断断续续也有好多年。最早我们都还在做记者，汶川地震时大家都去绵阳，住同一家宾馆，记者们都住在那里，因为就那家还能上网。晚上十点之后，陆续有交完稿的记者在走廊里招呼饭局，凑够四个人就去楼下吃肥肠锅，我和林夏总是赶上最后一拨。在震区待了十几天，每个人都面目可憎，林夏晒得漆黑，简直看不出五官，又总穿橘红色 T 恤，大概是过来的时候皮肤尚白，她垂死挣扎，在楼下杂货店里买了一支三块钱的口红，颜色非常可怕，印在本就不怎么干净的茶杯沿上。

经历了地震初期见到尸体、残破和分离，我们都觉劫后余生，胃口极好，人人吃三碗饭，吃完肥肠锅再去找小龙虾，宵夜摊绵绵排开，有小龙虾、香辣蟹、串串香、冷淡杯和烧烤。这个城市以惊人的冷静在恢复原状，起码它试图让我们看起来是这样。有两天说唐家山堰塞湖有险情，绵阳撤离了二十万人，我们都去山上的撤离点采访，很多人带上扑克牌和麻将，没带的就里三层外三层围着看。第二天再去，灼灼烈日下斗地主的人增加两倍，因为居委会给每家发了一副扑克。

我们回到市区，各自进房间写稿，到了半夜，我听到林夏在走廊里扯着嗓子喊："有没有人打牌啊！"

于是大家打拖拉机，我和林夏一边，开始很顺，后来一直打不过10，眼睁睁看着对手打到鬼，最后一盘输得惨烈，我们只拿了五分。只是消遣，但我们都介意起来，半个月的挫败和愤怒，突然投射到一场牌局中，林夏扔掉牌，点了一支烟，说："他妈的，什么屁牌。"女记者都这样，出差时故意显得粗鲁，以防别人觉得她娇气。

我也扔了手里的最后一个梅花8，说："要抽出去抽，这是我房间，别抽得跟烧纸钱似的。"

没人接话，这段时间大家都闻够了纸钱。林夏摁掉那支娇子，说了声"对不起"。我注意到她声音很轻，和平时不一样。我意外发现，我留意到了她平时是什么样。

我们第二天都睡过头，在门口遇到才意识到大家都走了，我和林夏只好一起去擂鼓镇，三百块包了一辆长安。车和路都极破，一路地震式颠簸，巨石时不时截断小路，看起来不会有终点，气压越走越低，我们都清晰闻到对方的汗味。林夏那天换了一件崭新的蓝白条纹T恤，我看到鸿星尔克的logo，肥肠锅边上有一家鸿星尔克，记者们都去那里买换洗衣服。蓝白色很适合林夏，我装作第一次注意到，除开肤色，她算得上好看，哪怕现在汗水让头发和皮肤都显油腻，她还是好看。

我中间接了小叶的电话，她是另外一家报社的文化版编辑，平日都上白班，这段时间也被调来编地震特刊，凌晨四点才能下班回家，醒过来先给我打电话。我们说了几句话，她照例让我注意安全，我则竭力让自己的语气平常，也不知道为什么，我不想让林夏听到我和小叶之间的亲密。

过了一会儿，我为自己的掩饰越发不安，好像这已经意味着背叛和出轨。我对林夏说："刚才是我老婆给我电话。"

她点点头："听出来了，家里人很担心是吧？"

"嗯，你家里人没有每天给你打？"

"我每天晚上给爸妈打。"

这意味着她没有结婚，大概也没有稳定的男友。我不喜欢这个答案，我希望她结了婚，且和我一般婚姻幸福，这样我才能显得正常和正当：一个人在幸福的婚姻生活中，还是会对另一个人生出想法。我拿不准林夏的想法，但我确定她并没有把我看得和别人一样，我们都经历过一些事情，知道很多事情的开始，都源于一点点不一样。

　　擂鼓镇里搭连绵不断的帐篷，另一边有几架直升机，往返于唐家山和擂鼓镇之间，山上一直说堰塞湖可能溃坝。有人在空地上发盒饭，我们凭记者证一人领了一盒，站在路边吃。菜是莴笋烧肉，混了一点泡酸菜，有一种不合理的香，吃完我们又去领一盒，这场地震好像打开了每个人的每种欲望。

　　相熟的一个军队宣传干部也站在边上，也正在吃第二个盒饭，来擂鼓镇的记者不多，大概大家都去了江油，那边有个镇长最近出了名，我们有一搭没一搭说话，他突然问："你们要不要上山？"

　　我吃完最后一块莴笋："上什么山？"

　　他指指直升机："唐家山啊，等会儿要送水文局的人上去，装水文自动测报设施，机上还能坐两三个人，你们要不要去？"

　　为了工作我们当然应该去，但我和林夏都看了看对方。

　　又过了十秒，他继续说："……不过今晚回不来，你们看这天气。"

　　乌云死死压下来，狂风卷起砂石，林夏本来扎一个马尾，现在头发被吹散开来，遮住她略显刚硬的脸。谁都可以清晰看到，马上会有一场暴雨，上山的每个人今晚都回不来。

我订了一个标准间，两张一米二单人床，我们进房间后发现没有沙发，就一人占住一张床。我拉开窗帘，窗外是涩谷的十字路口，几百人像军队一样排列整齐，在红灯结束后列队过马路。

我和林夏没有开过房，总是我去她家。她住在通州一个不大好的小区，每天从郎家园坐930路回来，下车后要穿过一条狭小巷道，沿途有兰州拉面和成都小吃，并没有下雨，地上却总有泥泞，走五百米才有一家京客隆，小区只有两栋楼，楼下三个巨大垃圾桶，谈不上任何绿化。她自己在阳台上放了几盆花，每次去花都不一样，她说，死了就换一批，这边离八里桥市场近，一盆茉莉只卖二十。

我问过林夏，为什么要把房子买在这里。她说："刚来北京就在这里租的房子，后来房东要卖，我正好够首付，就买了。"

还是不懂她为什么买这套房子。客厅采光不好，卫生间极小，露台几乎比客卧还大，除了上床，我们大部分时间坐在露台上，聊天、喝水和抽烟，看京通快速上的车流。过半个小时，我也打车上了京通快速，一次三个小时，一周后再来一次。我没有跟小叶说这三个小时去了哪里，三个小时并不是一个需要解释的时间。

后来我知道，虽然一直处于剧烈变动之中，但林夏不喜欢变动，她艰难地适应了一切，并不想改变，哪怕这一切很糟。很糟的房子，很糟的感情生活。我们没有一直维持关系，中间有几次，她和前男友和好，我们就断了，她和前男友分手，我们又恢复，目前正处于她和前男友的分手期。事情就是这样慢慢拖到了第七年，拖成一片我们自己都无法解释的泥沼。

林夏去洗手间卸了妆，黄着一张脸出来。每次我们断开又续上，中间照例隔大半年，再重见时我都知道她又变了一点，像镜头渐渐虚下去，五官有混沌边界，整个画面一点点变暗，我就这么眼睁睁地，看着她到了三十五岁。

我和二十八岁的林夏一起去唐家山，货运直升机上没有座位，我们都坐地上，一人靠住一纸箱双汇火腿肠。机噪声让人无法交谈，我们大概都松了一口气。直升机在空中盘旋了好一阵才降落，反复掠过北川县城，废墟中升腾白烟，那是有人偷偷回去给家人烧纸钱。

降落后我们也没有交谈，轮流采访水文专家、武警领导以及普通战士，采访中开始下雨，我们就排队领雨衣，披上继续采访。

四川省水文局专家林一彬说："现在蓄水已超过 1.6 亿立方米，之前每天都在增加一千万立方米，如果来水继续增加，危险程度就会加剧。"

一位工作人员表示，为解决大型物资难以运达的难题，目前指挥部正在试验便于携带的软体油袋和小型油罐，"一方面在天气恶化时可以让官兵人力背负上去，另一方面也可以低空空投给施工人员。"

　　武警水电部队政委方跃进介绍，为解决供给问题，大型直升机米-26昨日已用吊装大集装箱的方式运输了大量食品，"米-26今天（二十九日）一共吊了一个集装箱的食物和三个大型油罐，现在上面的油料可以维持两天，食品也没有问题"。

　　我把这些一字一句写到笔记本上，她记下的应该也差不多，我们大概都希望采访能一直持续下去，熬过这个必然带来混乱的夜晚。唐家山上没有一棵树，我们各自躲在一块巨石后面和编辑打电话，试图逃避命运和欲望的召唤。但雨终于大到我们只能躲进帐篷，军队给记者专门留了一个帐篷，今天只有我们两个记者，政委咬着火腿肠说："将就一下，特殊时期，大家不分男女，都是同志。"

　　同志们没有在那个晚上做爱，这很难操作，防潮睡袋里只能装下一个人，如果离开睡袋，外面很冷，何况震动声和其他音效难以控制。我们应该把这些问题都周密思考过一遍，最后选择了通宵聊天，黑暗和雨声盖住了这件事的伦理与道德，只余下毫无意义的话语，以及从中生出的、毫无道理的快乐。第二天走出帐篷，天已经放晴，有直升机正在低空空投小型油罐，但我忘记了去查实工作人员的名字，那篇稿子我后来并没有写出来。

　　回到绵阳，林夏半夜两点偷偷溜进我房间，又在下午两点溜回自己房间，九点前后走廊吵了一阵，后来整个宾馆静下来，林夏进来时随手挂上了"请勿打扰"。

我们郑重其事互相保证，就这么一次。然后轮流去洗澡。

林夏的身体完全符合我的想象，进入后我才意识到自己为此已经想象多时。做了一次后，她起身拉开窗帘，月光照进来，于是我们又做了一次。她问："我们说的就一次，是指就这个晚上吧？不是……不是真的就一次吧？"

我说："嗯，包夜都不算次数。"

其实也就三次。我有点累，这十几天工作强度很大，但第三次我故意拖得很长，猥琐、伤感以及精液味一起在房间里弥漫开来。我略略抬身，看着眼前这个姑娘，我问她："喂，你今年几岁？"

"二十八啊。"

"看着不像。"

"都说我显小。"

时间过于迅猛地划过七年，林夏现在还是显小，但实打实看得出上了三十。她往脸上拍爽肤水，问我："你要不要上来睡一会儿？"

我摇摇头。我很困，但上来睡一会儿意味着先要做一次爱。

她躺下去，把被子盖住头："那你晚饭再叫我。"断续偷情多年，两个人渐渐也像夫妻，性对大家都不再重要，但如果没有性，会比夫妻更显尴尬，所以总要有一个人率先睡着。

生活并不是一步走到今天，但当中的逻辑的确让人费解。包夜过后，我们甚至没有加对方的 MSN，穿好衣服，两个人交换了名片，那张名片我在回北京的飞机上撕掉，冲进马桶，不知道怎么回事，我记住了林夏的手机号码。

地震第二年，我离开报社，去了一家门户网站做小中层，收入是涨了一点，但并没有多到让我振奋。我去网站只是因为大家都去了，每个人都在焦急地挪动位置，停留原地似乎意味着失败，我才三十一岁，不知道怎么成功，却也没有准备好失败，在任何领域的失败。

每日坐班的工作很枯燥，但在家看久了美剧也一样会觉得枯燥。我完全接受了这件事，反正我也没有特别想做的事，填写爱好的时候，我也会写："足球，音乐，电影。"我写这三样不过因为这永远不会出错。外部世界剧烈变动，我却发现自己的内心停滞下来，如果一路要命地顺遂，我大概能在十年后当上公司高层，年薪百万，分一些期权，偶尔能上别家门户的财经版。我也憧憬那一天，起码我和小叶能换一套房子。现在的房子在四惠，小区在一号线头上，坐地铁要经过一条错综复杂的小路，如果懒得走，可以坐十块钱的黑车或者五块钱的蹦蹦。我们都想住在朝阳公园边上，晚上去蓝色港湾散步，坐在湖边喝杯啤酒——那种我们想象中更为正宗的北京中产生活，早餐吃711的包子而非老家肉饼，不需要坐黑车和蹦蹦，出地铁可以沿着一条有树的路，步行回家。

公司每天在国贸有班车开往中关村，我总准时赶上，四环永远堵车，我能在车上舒舒服服睡一觉。往返班车渐渐成为我最喜欢的地方，它把我困在当下，耽误上班，延迟回家，手机电池耗尽接不到电话，二十封邮件没有及时回复，一切都不能归咎于我。那辆车缓慢而准确地带领我，往未来去，那个时候，我对未来并无其他想象。

我只管十个人，却忽然变得重要，总有企业公关请我参加活动，签到之后，能领一个纸袋，里面有现金信封、礼品和材料，有一些人领完纸袋就走，我稍有节操，总是坐到最后。生活有些变化，但这种变化太容易适应，毕竟实打实多了一些钱，我拿这些钱买了更好的西服、领带和皮鞋，我甚至用上了男士香水和面霜，开始健身，人生是这样顺理成章往前流动，直到有一天，递给我纸袋的人是林夏。

她白了起码三层，化没有眼影的淡妆，穿黑色小礼服裙，细跟鞋，头发似卷非卷，拨在一边肩膀上。当然比在绵阳时美，但我不认识她，我也希望她不认识我，我从来没有这么不想从一个人手里接过装着红包的纸袋。然而我们都是专业人士，得走完这套流程——签到，写上身份证号码（为防冒领），交换名片——这个场景让我比她做爱时更觉赤裸，我们此时都失去了遮蔽。我想到在唐家山的帐篷里，两个人聊的话题，是彼此最喜欢的导演。林夏喜欢小津安二郎，我没看过，沉默中想寻找一个更拗口的名字，但只能想到李安。李安很好，李安永远是一个得体的答案，就像聊到俄罗斯文学，我们只需要说，我喜欢普希金。

我们又一次交换了名片，这次我没撕掉。过了几天，我给林夏打电话，没有借助名片，我背出了她的号码。

我为什么要给林夏打电话？我和小叶的婚姻那时还没有问题，大部分时间我坐班车转地铁，七点半总能到家，下地铁就给小叶打电话，她开始炒绿叶菜。晚餐总是一荤一素一汤，小叶的剁椒鱼头在朋友中是有名的，有时候我们两个人吃一份三斤鱼头，可以任性地只吃好的部位，两块腮边肉小叶都夹给我，我则为她从汤中翻出鱼泡。

我为什么要给林夏打电话？不知道为什么。毫无理由的冲动。就像肝部长了肿瘤，我却一狠心，把好端端的胃切了三分之一。在应该对生活下手的时候，我们总是懦弱地选择最好下手的那部分。

电话那边林夏犹豫了一会儿，还是答应来和我吃饭，后来我才知道，那段时间她和前男友又分了手。

我们在荷花市场那条美食街来回走了两次，最后选中一家江浙饭馆，露台有一块没有被灯光覆盖，又能看到一角水面，残荷留梗，样子俗艳的舫船慢慢开过，船头亮着红灯笼。秋天快到尽头，长时间坐在户外会冷，但我们宁愿裹紧外套。

一人吃了几个醉血蛤，我终于开口说话："你怎么也离开报社了？"

"大家不是都走了……你不也是。"

"但我还是在做新闻，只是换了个平台。"

"你是男人啊……都是这样的，男记者去网站当领导，女记者去企业做公关。"林夏满不在乎地喝了小半杯啤酒，我知道她并不是不在乎。

她喜欢做记者，地震时一天写三个版，我已经回到北京，她又待了一周，写了两篇特稿。和林夏上床后，有大半年时间，我每天看她工作的报纸，二〇〇八年年底，她有篇报道得了一个网站评选的小奖，我反复点进那个页面，看一眼她的照片又关掉。她穿牛仔裤和蓝白色条纹 T 恤，手里拿一份盒饭，那是在擂鼓镇我用手机给她拍的，拍得不好，完全糊掉，但看得见背景是我们坐去唐家山的那架直升机。

"说是都这么说，但是……但是好像有点可惜？你以前做得那么好，你应该去杂志，真正做深度报道。"

林夏低头又喝了一会儿酒，才说："本来我是要去的，有几家杂志找过我，但是……但是他们都说，女记者这么做下去总不是办法，我都要三十了……他们都说，我换地方也写不了几年……"

我不知道他们是谁，但我完全熟悉这种语调。他们都说，女记者这么做下去总不是办法，男记者一直做记者总不是办法。他们都说，应该转型，应该顺应时代。

时代意味着变动，意味着你有能力变动。

风真的冷起来，林夏又点了热黄酒。话语渐渐增多，我和林夏都意识到，我们是同一种人，那种看起来一路顺流而上、事实上失却真正勇气的人。我们本来只是在极尽无聊中想再偷一次情，但谁能猜到呢，性不过是最让人信服的理由，我们最后成了朋友。

　　林夏睡过去后，我出门见人。赫赛汀是处方药，我在网上找到一个人，允诺能帮我买到药，收五万日元，我不知道他用了什么办法，但中国人总有中国人的办法。

　　我们就约在涩谷车站的忠犬八公像。出酒店我找了一会儿，那只狗比我想象中要小，蹲在人群中，不远是抽烟处，挤不进去的人在门口匆匆抽两口。对面有一个不知所起的绿皮火车厢，敞开车门，我约的那个人——网名叫"林老板"——就坐在车里刷手机，边上坐着几个老太太，她们看起来也没有等人，就是打扮妥当，化着浓妆，坐在那里。

　　林老板不会超过二十五岁，染了黄发，戴三个耳钉，却和日本人一样见面就鞠躬，客客气气叫我"方先生"。他已经拿到了处方（我并没有关心用什么办法），带我去池袋一家药房拿药，"涩谷也有，但池袋那边是中国人开的"，他说。

　　池袋给人一种无秩序的安全感，尚未走出地铁口，已经有人大声使用手机，地面明明没有垃圾，却让人觉得脏。我们经过一家极小的中华物产店，门口有一盒盒凉菜，路过时我迅速看了一眼，似乎有鸭脖子和猪耳朵。

药房里沉默地坐着不少人，林老板说，"都是中国过来的，和你情况差不多"。有人边上垒着几个纸箱，看起来要赶去机场。电饭煲、马桶盖，大概箱子里还有药妆，林老板又说，"很多人这样，来都来了，顺便买点回去。"

我也开始思考应该买点什么，说得没错，来都来了。也许可以给小叶买几套雪肌精？我只记得这个牌子。大学刚毕业，我们在南四环租了一个小房子，小叶那时候是见习记者，要跑突发，出入各类跳楼、车祸以及火灾场所。有一次有人说要跳北京饭店，她和摄影记者站在长安街上等了两个小时，"中间我想办法去买了一把伞。"小叶说，但那个人后来坐电梯下来了。她晒得很黑，做爱时坚持要关灯，说白回来再给我细看，"等转正了我就去买两瓶雪肌精"，我都快射了，小叶还在想这件事。

我忘记她后来有没有用雪肌精，也许她用了更好的牌子。转正后小叶做了文化编辑，一直做到现在，很少去户外，她又变得太白。小叶是我们身边唯一一个十年没有换工作的人，挣得不多，圈内也没什么人知道她，奇怪的是，她从来不给人失败感。每天早上她洗澡吹头发，精神抖擞挤一号线上班，晚上又精神抖擞挤一号线回家给我做饭，晚上她读书、看美剧、敷面膜、写博客。我从来不知道她的博客地址，小叶说，我们不需要事事告诉对方，我同意，所以我没有告诉她有林夏这回事。这两年我们不大以夫妻的方式相处，隔着距离，我

对小叶有一种莫名的敬重，因为她对生活从无怨气，而我们，
我们都是有的，有时候看起来是积极上进，其实不过是怨气。

　　林老板替我取了号，前面有二十个人，我们出门去抽烟，
马路对面有中年女人拉住人叨叨传教，从"神爱世人"到"赦
免你的罪"，我听到她拉住一个男人许久，说"就是你们的头
发也都被数过了。不要惧怕，你们比许多麻雀还贵重。"但那
个男人几乎秃了顶。

　　一支烟可以很长，我和林老板居然聊了起来。

　　"做这个能挣到钱吗？"

　　"还可以吧，国内得癌症的人挺多的……这两年越来越多。"

　　"所以你没有别的工作？"

　　"没有，我还在读书。"

　　"哪个学校？"

　　"东大。"

　　我吃了一惊，但直接表达吃惊好像不礼貌，只好问他："你
学什么？"

　　"日本文学。"

　　"研究生？"

　　"博士。"

　　话题在这里断了，聊天的方向出现混乱，我不知道和一
个代购癌症药且网名叫林老板的人说什么，我也不知道和一
个日本文学博士说什么。日本文学，我只读过两本村上春树

和东野圭吾，以前刚和小叶恋爱，我也给她写信，因为并没有什么话想写，只能抄书，"迷失的人迷失了，相逢的人会再相逢"，小叶只说，那本书不怎么吉利。

　　和林夏第二次上床后，她去洗澡，我穿戴整齐坐在沙发上，好像初来乍到，正在等主人给我倒水，茶几上摆着一本《挪威的森林》。后来我渐渐发现，林夏的文艺修养大概和我差不多，她的确看过小津安二郎，但也就看了那么两部，《东京物语》和《秋刀鱼之味》，不会更多。她跟我一样，认为自己应当对人生有点野心，却并未找到野心的指向，我们在一起，上床之余总是聊圈内动态，谁去了哪里拿到什么职务，谁辞职创业，现在已经拿到第几轮风投，我们不停给对方分享资讯，好像这样就可以减少自己的焦虑，其实两个人的焦虑都加倍，我们还是每周见一面，有时候做爱非常慌张，因为大家都着急回邮件。

　　去年林夏又辞了职，现在在阿里巴巴刚收购的一家小公司做公关总监，我则加入了一个创业公司，名片上印着"联合创始人"，CEO是我在网站的领导。我们公司半年中换了四个项目，分别是上门做美容的APP、上门做饭的APP、上门修煤气灶热水器的APP以及白事一条龙APP，我们都盼着某一个项目会被马云看中。有一次报社的老同事吃饭，发现在场人数中有四分之三的人的大老板变成了马云，剩下四分之一正在争取把大老板变成马云，比如我。

赫赛汀拿到了，整整齐齐一排白底绿字纸盒，装在一个巨大塑料袋里。我和林老板在地铁口再见，"还得去学校见导师。"他说，把我给的五万日元现金放进钱包里。我又去那家中华物产店看了看，买了一盒卤猪尾巴，附一包辣椒面，林夏应该醒了，我们可以啃着猪尾巴，把那些要说的话说完。

"你老婆知道我们的事吗？"林夏问我，挑了一截肥肉较少的猪尾巴，蘸上大量辣椒面。

这句话她问过好几次，第一年，第三年，第五年，第六和第七年。

开始我很确定，"不知道"，后来我也变得疑惑。小叶非常聪明，我们一起做门萨智商测试，她有135，我是121，据说超过140就是天才，"那五分跨不过去的"，小叶说，"我们都是普通人，一进入普通人的大分类，这十几分没什么区别，真的，可能就是背单词速度要快一点，哦，也可能是看悬疑片比较早猜出凶手。"我没有见过哪个智商135的人，比小叶更坦然接受普通人这一身份，智商121而不甘于此的人我则认识很多。

不是说我羡慕小叶的人生，前面说了，我只是敬重她，再给我两百次机会，我还是会试试看能不能往上走，我知道成功的几率不高，但除此之外，我找不到人生有第二条路值得一走。我非常焦虑，但小叶，我也不觉得她有多快乐，她只是让平静成为惯性，她的平静渐渐吞掉她，开始她不想选择，后来她失去了选择。

这两年，我几次认真想过小叶知道些什么，一个看《第六感》半个小时就看出主角已经死去的人，是不是真的看不出丈夫有个情人？二〇一一年前后，小叶想过要孩子，问我的意见，"要了也好，反正最后都会要的，不过我们都没有北京户口，以后上学有点麻烦"，这就是我的意见。

小叶没考虑北京户口，她开始算排卵期，期望我在那三四天内认真配合。我刚升了职，从管十个人升为管一百个人，老板要求我三十秒内必须接电话，我就把手机用塑料袋包好，拿进浴室。因为总赶不上班车，我也买了车，有时候在四惠地铁口顺道接上林夏，她的公司在朝外SOHO，我则再往中关村走，路上两个人互相关心工作进展，交流哪种褪黑素副作用小，叮嘱对方中午一定要吃饭。

就这样，小叶的排卵期我配合得不好，试了半年也没有怀上，后来她就说，"还是歇一歇吧"，就一直歇下去了，我们再没有讨论过生育问题。

"她是不是其实也有别的人？"这句话林夏也问过几次。她倒没有挑拨离间的意思，我们这种混沌关系里唯一清晰的就是定位：我不会和小叶离婚，林夏不会和我结婚。我们偶尔会替对方分析情感生活，她分析我和小叶，我分析她和前男友，她劝我"小叶挺好的，现在哪里还有这种女孩子，你再不注意她就会被人追走"，我劝她"这个男人不会跟你结婚的，你真的应该跟他彻底断了，真不知道你这些年在搞什么鬼"。

这种劝告当然没有任何鬼用，林夏这次赶到东京来，是要在第一时间且当面跟我说,前男友又回来了。几年这样下来，我们的分手流程已经趋于固定，我说："哦，那我们明天去吃顿饭。"

至于小叶有没有别的人，"有可能，不然她这几年怎么过的？"辣椒面有后劲，我用半瓶冰麒麟才勉强压下去。

"你就一点不在乎？"

"在乎？……没立场在乎。"

当然在乎。我偷看小叶手机，用她所有用过的网名搜寻她的博客地址。手机上什么都没有，我连存为中国移动的联系人都点进去看了,真的是10086。博客没有找到,有一个疑似，博主写一些书评影评，隐约有个叫"X"的男人，我就又回头去偷看小叶的手机，把所有 X 开头的名字号码抄下来，当然我还没有一一打过去，我没有疯到那个地步。我订阅了那个博客，但它渐渐不再更新，大概是挪到微信公众号上，这下我失去了所有线索，社交媒体每更新一次，我就会丢失一批朋友，万万没想到，这次丢的是自己妻子，疑似妻子。

到了今年，创业的百忙之中，我渐渐在内心确认小叶爱上了别人。有一天小叶让我早点回家，"我们得谈一谈。"电话里她说。小叶已经很久没有给我打过电话，现在还有谁需要打电话？但和微信比起来，电话让一切更加确凿无疑。

我以为她要跟我说离婚，磨蹭到十一点才开车往家走。四环上挤满运煤卡车，堵住出口，我熄了火，打开天窗抽烟，那天有深灰色雾霾，不开灯根本看不到前方有车。有那么一个瞬间，我盼望后头的车冲上来，终结这一切，但下任何一种决心都是难的，我又打开了双闪。

小叶一直没有睡，坐在沙发上看电视，穿一套深蓝星星图案的睡衣，头发扎马尾，是我熟悉的小叶。她等我坐下来，关掉电视，握住我的手，又愣了一会儿才说："你听我说……我得了癌症……乳腺癌，还没有最后确诊，但应该差不多就是这样了……不要担心，是第一期的，都说很好治。"

我也愣了一会儿，然后渐渐高兴起来。真的，没有办法寻找到另外的词语，我高兴起来。我把小叶抱过来，说："没关系，我们明天就去医院……哪家医院？"

那盒猪尾巴吃完了，林夏站起来洗手，她在洗手间里大声说："你回去要和小叶好好过。"

"好的。"我回答她，水声太响，我又提高了音量，"好的，你也是。"

小叶恢复得很好，半年后复查已经没有癌细胞。她重新开始化妆，长出茸茸短短的头发，看起来有一种意外的时髦。

我的创业公司在又换了两个项目后宣布失败，现在我替另一家创业公司打工，拿过得去的薪水，和鬼知道什么时候能兑现的期权。我们又开始讨论是不是应该生孩子，但两个人对此都并没有真正的热情，大概我们到了这个阶段，对任何事都没有真正热情的阶段。

过了八月，在一场暴雨之后，林夏从微信中冒了出来。我开车去了通州，快开到她家楼下的时候我迷路了，这附近又拆又建，我停在一个巨大的工地坑前面。抽支烟再说吧，我想，前头是探照灯的灼灼白光，照出一条并不存在的前路。

就是这样，什么都没有改变，癌没有改变什么，爱也没有。

盐井风筝

Twin lives

1

夏天总是很糟。潮热中对别人的故事失去反应,别人对我大概也是如此。一切蒸发在空中,同情、怜悯、好奇心。半空盘旋,而不降落,因为始终没有下雨。

关静找到我,我不怎么愿意。夏天中我有自己的烦心事,一个专职做离婚案件的律师,自己也离了婚,却没占到什么便宜,毕竟前夫也是律师,发表过学术论文,业务能力略强于我。我没有驾照,那辆国产宝马5系归他,又把朝阳公园边上的两室一厅卖了,这笔钱还贷又平分后——我多拿了二十万,算是抵车钱——谁都买不起四环内的房子。我在鼓楼租了一套两居室,多少憧憬着还能约会男人,在后海喝完酒,顺势步行回来过夜。他因为已经有了再婚对象,安心把新房买在亦庄。以前我们也看过亦庄的联排别墅,小区里种满银杏,两层三百平方,小车库,小院子,一架子紫藤,一只狗,狗在紫藤架子下撒尿。两个律师稍微努力几年也能过那样的日子，但不知道怎么回事，我们中途泄了气。

我不恨前夫，不过私下里也想过，如果他不存在，也许北京会是一个更适合呼吸的城市，好像浓浓雾霾天里，他是一颗吞咽不下的大型颗粒。好几次，刷到前夫的朋友圈（为了证明自己的文明程度，我们都还看对方的朋友圈，甚至偶尔互相点赞），我都会想，他要是突然死了就好了。不用死太惨，不要得重病受折磨，我也不忍心。脑溢血，或者心脏病，他一直说自己心脏不好，长年备有硝酸甘油，但一次没有用过，性生活进行到一半，他会突然停几秒钟，大概是怕死。那几秒中断意外漫长，我直直往窗外看去，没有霾的日子，天狼星猛烈闪动，让人更觉焦急。

关静打电话过来，我正在看大盘。卖房后的大笔现金找不到出路，我几乎全放进了股市，重仓五粮液，也没什么原因，家里亲戚都喜欢喝五粮液。我在 31 块进去，后来政府清理场外配资，一路跌到 22，我又加了仓位，把均价拉到 28，它现在一直停在 26 上下。并没亏多少，我还是较着劲，每隔三十秒刷新一下大盘，为一毛钱涨跌心情起伏，许久没有接过新案子，全身心炒股，渴望解套，大概没法接受在一个全新的领域，我又一次被死死套住。

天气苦热，离婚后我不大去律所坐班，租的房子朝西南，空调总是漏氟。收市前房间内温度达到顶点，我无意识又刷新一次大盘网页，看墙角翘起的复合木地板，房东留下的艳黄色简易沙发，阳台上堆满纸箱子而纸箱子又堆满灰尘，不明白一个差点买联排别墅的女律师，怎么会到了这里。那种希望前夫死掉的心情，又自顾自涌上来，混杂着罪恶、负疚和快意。

如果他之前死掉，我就还能住在那套房子里，朝阳公园边的房子。阳台上养了几盆花，月季和栀子，最后一次和前夫吵架，我们不知道谁把一盆满是花骨朵的栀子推到楼下，二十三楼，一声巨响。如果当时砸到路人就好了，我会站出来指证他，警察、检察官、法官，他们当然更相信女人，前夫会被判刑，路人最好不要砸死，这样属于情节较轻，处三年以下有期徒刑。但楼下并没有人，我拿着扫帚簸箕下去收拾，满地狼藉中，闻到栀子香气。前夫一直活着，没有判刑，没有心脏病，已经再婚，过得很好。

关静说了一半，我才渐渐听懂意思："……不行不行，我哪里有时间回去，而且我没有做过刑事案，你知道吧，我一直就打打离婚案，从来没有进过看守所……这个案子，还是得找个有经验的本地律师。"

但关静没有放弃，她向来不容易放弃："……你就当回来休个假，散散心，老闷在北京也不是个办法……"看来大家都知道我离了婚，"看守所嘛，没去过有什么关系，去一次就认识路了……你就当帮帮林凌，她也是好造孽，肯定是失手嘛，要不然她脑壳有包要去杀人？……"家乡话用"造孽"说一个人可怜，我有时候也会自我感觉"造孽"，但不知道用哪种定义，动词还是形容词。

晚上八点，我同意接下林凌的案子。关静是我和中学同学的最后联系，没有她，我是一个和那六年彻底断交的人，我不想这样，有时候对关静近乎谄媚。我高兴自己被拉到所有群里：小学同学、中学同学、大学同学、研究生同学，我给每个群发红包。春节回家，有人组织聚会，在桥头烧烤铺，我也去了，吃五串烤排骨。排骨腌过了，酱油煳住喉咙，我没有选择；不知道怎么回事，排骨一直送到我这桌来，且只有排骨，如果想吃鲫鱼和鸡胗，就得换张桌子。关静那天不在，没有人和我说话，我不敢换桌，后来大家都说要拍合影，我赶紧理理头发，站在第二排中间，照片发到群里，断续有人说，"顾小梦还是长那样啊"，"真的，就是发型变了"，有人议论我，这让我安心，就又发了一个红包。

外面渐渐暗下去，却始终没有降温，我走到后海边，吃一罐老北京酸奶，水面蒸腾热气，风也只显扰人。湖中有开黄鸭子电动船的情侣吵架，船剧烈摇摆，我知道舱下水草疯长，如果船真的倾翻，水草会缠住手脚，四下喧嚣，呼救不易，一场没有凶手的谋杀案。但过了一会儿，船平静下来，路灯探照之下，我看见两个人并排挤挤挨挨坐在一起，齐心协力把黄鸭子开回码头。有那么一会儿他们混淆了方向，但最终还是开到了正确的路上，很奇怪，每个人最终都能回到正确的路上。

我坐在树下花坛石沿边，翻了很久手机，翻到那张烧烤铺合影。林凌在第一排最右，穿一件红色大衣，叶敏敏和她隔了几个人，穿蓝色大衣。暖黄滤镜之下，每个人都长得像，我记不起林凌，也记不起叶敏敏，照片中两个人是一模一样的小圆脸，长卷发，我也差不多如此，我穿一件驼色大衣。

警方指控称，二零一五年七月十三日晚上八点二十七分，犯罪嫌疑人林凌趁人不备，将被害人叶敏敏推入一口正在漏气的盐井，后者脑部撞击井壁，当场死亡。林凌被控涉嫌故意杀人，目前羁押于贡井区看守所，我是她的律师。

2

吃过晚饭，我和父母散步到旭河对岸。旭河上有两座桥，刚下过雨，平桥漫水，应该是桥面的地方，现在浮着几个黑胶轮胎，有男人赤膊坐在轮胎上撒网捕鱼。我们走上大桥，摊贩们占满人行道，卖袜子、发饰、十块钱三条的内裤和西藏风格的绿松石项链耳环。有一家卖石榴，裂开两个作为样品，有玛瑙样鲜红的籽，我们一路没有说话，现在倒是商量起要不要买石榴，最后买了五个。

父母对我非常失望，看起来是因为我的离婚，其实是因为我在离婚后暴露的一切：三十九岁，没有房子，没有车，没有男人，也没有男人追求。三十九岁还要有人追求不容易，我从来长得不美，四肢细细，却有肚腩，皮肤发黄，粉底颜色一直不对，总像一张脸上浮动另一张脸。刚搬到鼓楼后的那两个月，我也晚上十点化好妆，走到后海喝酒。从小区到水边需要走一条石子路，高跟鞋走在上面有一种绝望的决心，但我一直坚持穿8厘米尖头细跟鞋。我换过不少酒吧和不少裙子，却一直没有人请我喝酒，始终没有。我也就放弃了，现在每天穿拖鞋T恤出门，喝老北京酸奶，坐在酸奶铺的塑料矮凳上。

在别的家庭，"律师"这种身份也许还能拿出来搪塞，但我的父母都在市司法局工作，都有点职位，见惯了畏畏缩缩没有案源的律师，顶着合伙人的头衔却出不起合伙人的份子钱，这更让他们一眼可以看透我的生活，看透隐藏其下的落魄失败。父母是关静一定要找到我做林凌律师的原因，司法局对案子说不上有什么具体用处，但听起来总更让人放心，更何况——关静私下里对我说——"肯定是要判刑的吧？那起码进去了能托人照顾。"我答应她，这没有问题，司法局管监狱。

拿着一袋子石榴继续往前走，渐渐到了老街，青石板两旁是黑瓦平房，每个人都坐在路边乘凉吃西瓜，把西瓜籽吐在石板和石板缝隙。爸爸突然说："你代理的那个同学，叫什么来着，好像就住在这一带……死的那个好像也是，说是同一个居委会，现在分别派了人做两边男人的工作。"

我签了侦查阶段律师代理，只收两万，这个价格极低，却多少能弥补我在股市上损失的钱，在无人察觉的隐秘之处，我想盖住这又一场失败。和林凌的丈夫王云雷签好合同，拿到一万块首付款，装在一个用金粉印着"新春贺喜"的红包里，他讪讪说："……家里找不到信封……"王云雷穿戴整齐，看不出住在老街，家中还没有独立卫生间，每天早上需要排队上公共厕所，关静后来说，那两万块是她的钱。

我们走到公共厕所，新近装修过，贴满一看即是公共厕所的白色瓷砖，作为居委会的业绩，门口放了几盆茉莉，尿骚味混茉莉香，晚风又带水气，让这附近有一种含糊的定位：穷，却又有点风情。承包公共厕所的是一对夫妻，大概就住边上，在门廊里支了一张塑料圆凳，两个人蹲在地上吃饭，各自抱着大碗，几种菜混在一个大铝盆里。我辨认出莴笋烧泥鳅和蒜薹肉丝，走过了才轻声对爸妈说："守厕所的吃得还可以。"

空气中有天然气味，我以为是谁家煮汤扑锅，爸爸却说："一直这样，快一个月了……上次井下漏的气还没散完，这两天下了雨，味道已经淡了。"

"那天晚上你们都去了？"

"去了，晚上散步的人哪个没去。"

　　东源井离市区不远，沿着旭河一直往下游走，有时候我们也走那条路散步，经过老盐厂坍塌的红砖房，瓦砾堆中长出藤蔓，结鲜红浆果。盐厂早就破产，留下极少工人生产沐浴盐和调味盐，东源井又出盐卤又出天然气，从咸丰年间一直生产到现在，老早就评上国家级文物保护单位。

　　中学有一次郊游，不知道怎么选在这里，大概因为井在半山上，前面有一块平坝，坝上稀稀落落长草，四周又有不结果的桃花。我和关静坐在一起，吃小圆面包夹火腿肠，喝同一个保温瓶中的热水。有两个人用渔线放风筝，两只一模一样的大蜈蚣，先并排飞得很高，后来有一只渐渐下坠，又缠到井上的天车。我记得班上最高的男同学试图爬上去取回风筝，我们所有人站在下面仰头望着。风筝没有取下来，天车太高，有工人出来制止，春天的风其实极大，我们下山的时候，那只风筝已经断线，往不确切的方向飞去。我忘记另一只蜈蚣的下落，我也忘记到底是哪两个人在放风筝，每个人都看起来可疑，林凌和叶敏敏，我和关静。

　　七月十三号凌晨五点，东源井井筒出现故障，工人在维修井筒时发生坍塌，筒内发生堵塞。上午八点井筒疏通时，筒内被封存的气体和水由于压力过大，发生了井涌现象，导致天然气及硫化氢泄漏。下午六点，气场工人控制住危险，开始进场维修，到了七点半，饭后散步的人渐渐聚集在东源井，有些人靠得很近，想看到井下维修现场，拍下来发到朋友圈。

叶敏敏站在最前面，她掉下去前先惊呼了半声，但即刻安静下来，她死得非常快。井筒一直到当晚十二点才彻底疏通，叶敏敏的尸体被吊了上来，零零星星的几块，头发中混着她那部苹果 4S 的屏幕碎片。

开始都以为是意外，后来有个男人回家看手机视频，清楚看见林凌在背后推她的那一下，林凌本来站得有点远，但她突然挤开人群，猛地伸出手推向叶敏敏的腰。那男人报了警，刑警大队的人赶到老街时，林凌正在露天坝中打麻将，穿一条碎花睡裙，她那天赢了不少钱，被带走时还把那几百块胡乱塞到睡裙口袋里。

我们在青石板路尽头拐错了一个弯，不知怎么走到区里唯一一个基督堂。近一百年的老院子，一直说要塌，一直没有塌，于是又说是因主庇佑。院子里有四间房，围住一个小天井，没有人种过什么，却自顾自长出了橘子树和夹竹桃。外婆在世的时候，我陪她来过几次基督堂，因为她应承听一次福音给我五块钱，为了钱我听"爱是恒久忍耐，又有恩慈"，又听牧师讲经，不可说人闲话，因为"凡人所说的闲话，当审判的日子，必要句句供出来；因为要凭你的话定你为义，也要凭你的话，定你有罪"。我当然没有信主，和所有人一样，我被他人说闲话，也说他人的闲话。后来外婆死了，家里还是照城中惯例，请来和尚念经，道士做法，葬礼喧嚣热闹，街坊邻居一家送一匹布，却来吃了好几天饭，火化时是我坚持要放进一本《圣经》。

爸爸说："这里现在分了一半地方给社区做文化中心，每个月有两天市川剧团在这里免费表演……下次我们都来看看吧，还可以，有时候会演琵琶记。"

我不知道琵琶记是什么，但我说："好啊，下次是几号？我叫上关静。"

3

我们本来坐在室外，觉得一点点雨不妨碍喝茶，但雨渐渐密了，关静又穿白色真丝衬衫，我们就挪到王爷庙里面。房间内开着空调，却不禁烟，我们先打两个喷嚏，然后都拿出了七星，开始抽烟后空气就舒服多了，潮气混杂烟雾，两个人有好一会儿不想说话。

王爷庙以前是戏楼，现在和城中所有带院子的古迹一样，不过给人打牌喝茶，卖十块钱一杯的青山绿水。庙建在河边石崖上，崖身上的"唤鱼池"三个字据传是苏东坡真迹，都说他在这里钓过鱼。庙内石壁上有"还我河山"，倒的的确确是冯玉祥的字。一九四四年抗战艰难，冯玉祥来城中发起节约献金爱国运动，筹到一个多亿，有大盐商一笔拿出一千五百万。

这些都是关静告诉我的，没想到她变成文化人。初中她成绩一直不好，读中专时花了一笔钱，后来又托人进了本地银行。我考上大学的夏天，去找她吃饭，在柜台前等她下班，看她穿式样古老的衬衫和一步裙，化红脸蛋和血盆大口妆，飞快数钱，数完一叠又重新从第一张数起，如此往复三遍。她后来跟我说："第一个月就数错了，罚了两千。"现在关静是一家区支行的副行长，有个丈夫，但我们不怎么提到他，关静自己开车来接我，她先是开一辆福克斯，去年换成宝蓝色 mini cooper。

反复打量自己的生活时，我总会想到关静，好像以她为坐标，我才能确定自我位置。可能她也过得不好，不然她为什么一直没有生孩子？为什么她从来不带丈夫和我吃饭？为什么有时候半夜三点，她会在朋友圈转"女人这辈子不能犯的十个错误"，她犯了什么错误？为什么她热衷于和所有同学维持联系，哪个生活幸福的银行副行长这么闲？这么想下去，让我更容易和她交往，虽然她的不好隐藏在"可能"的水底，我的却浮动在青天白日的水面。

这两年关静总是主动来找我，就像读大学和刚开始工作那几年，我志得意满野心勃勃，尚未意识到前方看似水泥铺就的大路，会渐次出现泥沼般挫败。我总是主动找她，那时候我是一个重点大学毕业后留在北京的律师，以结婚为前提谈了一个同行男朋友；她刚刚从柜台调到房贷部，几次相亲后也有了固定男友，我一目了然过得比她好，却没有好太多，这让我们的友谊持续下来，持续到她一目了然过得比我好、却没有好太多的现在。我们是两只蜈蚣风筝，开始并排飞在有风的地方，后来风太大了，她偏离方向，我则一路下坠，坠向今天。

以前我们当然也聊男人，后来这个话题渐渐退场，现在我们和所有闺蜜一样，聊眼霜、年终奖和包，这并不意味着男人在我们的生活中变得不再重要，而是真正重要的话题，我们都不再向对方——事实上是任何人——提起。我在婚姻中有过两次无人知晓的一夜情（不知道怎么回事，离婚后反而没有机会）；她有一次在唱歌间隙出去接了七八次电话，再回来唱《勇气》，包房内的旋转彩灯下，我看她泪光粼粼。唱完歌，我们一起去吃了串串香，我们依然亲密，只是不再知道对方生活中真正发生了什么，把一切秘密混混沌沌煮进这口油腻的锅里。

抽完第二支七星，关静问我："你去见了林凌没有？"

"见了，难道白收钱不干活，见了两次了。"

"她怎么样？"

"能怎么样……看守所里……跟我说吃得还可以，因为我爸托人给公安那边打了个招呼……能吃什么？也就是早上能加个蛋，晚饭有点肉吧，我也是估计，我们哪能聊这么多……"

"那你们聊什么？"

"案情啊……你说律师和当事人能聊什么……"

"她怎么说？真是她杀的？"

有老太婆挑着扁担在茶馆内卖凉皮凉面，我叫了一碗凉面，嘱咐她多放蒜泥，吃了几口才对关静说："对外人泄漏案情，你是想让我被吊销执照啊。"每桌都在吃凉面，都多加了蒜泥，浓烈蒜味让空气更显污浊，却盖住那些不想被说出口的话语。

当然不是因为这个原因，关静却也没有继续问下去。雨下得更大，有男人进来避雨，又不想出茶钱，就扭扭捏捏站在台阶上，院子和室内之间的含糊地带。我无端端想到王云雷，他可能就会这样，舍不得十块钱茶钱。王云雷长得不错，像多次变形后的胡军，林凌也算得上标致，一对外貌中上的夫妻，在钱上面显见窘迫，不知道为什么，好像更让人觉得难堪。

我和关静都想走了，但下大雨还一定要结束闺蜜下午茶，好像会显得关系冷淡。浮在水面上的话题被一一打捞干净，连新叫的一盘瓜子都一颗颗剥完，我终于问道："林凌和叶敏敏到底关系怎么样？"

关静在听一段微信语音，似乎是无意识回答："还可以吧。"

"什么叫还可以？"

"……就是每次同学聚会，两个人也都来，也没听谁说她们有矛盾。"

"我爸说她们住得很近？"

"……是啊，都在老街那边，那两排平房嘛，以前老盐厂职工都住那边，厂里分的房子……你忘了？初中班上有几个从盐厂子弟校上来的，她俩都是……咦，这么说起来，她们应该小学就认识了，也许是幼儿园，盐厂都有自己的幼儿园……"

"她们到底在哪里工作？"

"开始也都进了盐厂，后来不是下岗了吗，就都自己找工作咯，帮帮私人老板，打打工。两个技校毕业生，你说能找到什么工作……林凌好像在商场里卖包，叶敏敏不晓得，她离了两次婚，你知道的吧？"

我不知道，但我意识到别的同学背后说起我时，提到的第一句话是什么。这也不意外，在任何濒临冷场的时刻，总有别人的生活作为谈资，尤其是显而易见失败的生活，这在明处拯救僵局，暗处则拯救我们自己。关静也意识到了，她只能提供更多八卦，以让我们都忘记前面话中的暗刺："……叶敏敏听说又要结婚了，这次找的人很可以，就是桥头那家羊肉汤的老板，你记得吧？我们去吃过几次的那家，他老婆去年死了……"

我记得那家，老板是一个油腻的胖子，怕有五十五岁，身上经年不散的羊膻味，羊肉汤是地道的，后厨院子里有整张带血羊皮。他看起来也是个好人，买单时总给我们抹掉零头，又送一杯极烈的柠檬酒，但我没有想到叶敏敏嫁给他，背后收获的普遍评价是"很可以"。离婚后陆续有人给我介绍对象，离异有孩有房，离异有孩有房但孩子跟着对方，最好的那个丧偶无孩有房，我想，回北京应该见见他，有点秃顶算不上什么问题。但也许他已经见过别人，夏天总让人着急，希望一切在冬天之前有个定局。

后来关静送我回家，开车十分钟，她的微信响了六次，在最后一个调头处，我突然希望我们的关系可以突破眼前的雨雾，抵达更清晰透明的地方。如果我想和一个人有清晰透明的关系，关静是我唯一的希望。我问她："欸……这几年，你有没有遇到过什么人？"

关静化了浓妆，睫毛长到不合理的地步，扑簌簌闪动时把整个世界遮蔽在外。她没有转头看我，半分钟沉默后，她轻快地说："什么什么人？一个已婚妇女还能认识什么人啊？怎么啦，你是不是认识谁了？有照片没有，快发我微信！"

我也转过头去，看雨刷拼了命想挡住水滴和雾气，然而世界还是混沌难辨，我说："随便问问，我也没有，哪里那么容易。"

4

看守所在龙洞村，去往富东水泥厂路上有个陡峭上坡，爬坡之后转左手再走十分钟，半坡上经过一个养鱼堰塘，周围摆几张白色塑料椅，这就算开了农家乐。看守所九点开始会见，我八点半到，堰塘边已经有人钓鱼，水泥厂的灰厚厚一层漂在水面上，有黑鱼浮出水面，以为那是鱼食。黑鱼凶猛，两排带状细牙列于上下颌，它们吞食青蛙、鲫鱼和泥鳅，最后吞食体型不超过自己三分之二的同类，它们精确估算，并不冒险。

林凌把头发挽成髻，橘色囚服背心里是一件白色 T 恤，衣服起毛，但都洗得干净，让囚服像刻意搭配颜色，如果不是手铐，她远远走过来，也就像是要和我坐下来喝茶。王云雷给她送过两次衣服，往消费卡里存了一千块钱，看守所里每个月可以用五百，买生活用品和零食。林凌跟我提过两次，里面有一种牛肉罐头，很咸，但汁水可以用来蘸馒头，看守所每天提供四个馒头。我们初中三年没有说过几句话，毕业后更是毫无联系，我从来没有想起过她，也疑心她根本不记得我是谁。但我们现在坐在栏杆的两边，聊起了咸牛肉、馒头和谋杀案。

案件有一个显而易见的辩护方向：那天井上的灯正好打在林凌上方，人群外围没有光，视频上看起来后面黑乎乎推搡成一团，人人都挤着往前，想让自己的手机镜头对准井内。林凌当然有可能是被后面的人猛推一把，她伸出手试图维持平衡，混乱中却没有注意到自己推向了小学、初中、技校同学以及邻居叶敏敏的腰间。

律师不能诱导当事人说出这些，会被吊销执照和坐牢。我只能问她："那天到底是怎么回事？你不要怕，慢慢说清楚。"

林凌眼窝淤青，看起来睡不安宁，却不像害怕，只是再复杂的局势，两句话也就说完了："……人很多，我站不稳……后来，后来不知道怎么就推到了敏敏。"

大概也就需要这些，但我确认了一下："所以你根本没想要推她？"

会见室没有空调，门外40摄氏度的感觉慢慢渗进这没有窗的阴阴房间，看守所小卖铺又只有一种袋装宝宝霜，白炽灯管下林凌满脸浮油，让我看不清她的脸色表情。她略加停顿，说："……当然……不然你说我推她干什么？"

我点点头，在笔记本里记下这句。

已经没有问题，但会见时间只过去二十分钟，我总不能现在就走，没有九点半就结束会见的律师。我和林凌，就像我和关静在王爷庙喝下午茶一样，冷场片刻后，突然真的聊了起来。会见室里稀落有人，大部分律师更愿意下午过来，这样不用早起，龙洞村不通公交，打车来经过一段长长土路，如果车上睡得不沉，会被凹凸路面反复叫醒。会见室没有装监控头，这让隔壁座位的律师和当事人放心聊起了多少钱可以取保候审（"十万哪里得行，十万你找哪个都搞不定，起码要十五万"）。偌大房间，只不远处有个警察，叼着烟玩手机，烟是"小熊猫"，我进门递给他的两包软中华被随手扔在旁边。

我自己也点了一支，看守所里律师都抽烟，也许这样会显得专业，也许是一种隐秘善意，让当事人在烟雾中有这一切并未发生的幻觉。我故作轻松，问道："……你和叶敏敏很熟？"

林凌想用右手挠左手手腕上的一个蚊子包，但手铐铐得紧，我眼见她右手勒出红印，她狠挠几下，这才舒了一口气说："很熟的……当然很熟，我们幼儿园就认识了。"

"你们两家常来往？"

"来往的……她以前那个男人和我们一起打麻将。"

"她到底为什么离婚？"

"能给我支烟吗……麻烦替我点一下……谢谢……"林凌用两只手艰难夹住那根烟，她看起来不常吸，在口腔里绕了一圈又吐出来，"谁知道她……可能是嫌以前的男人没钱吧。"

闲话一个死人让我略感愧疚，但又带来莫名快意，我说："她后来找的男人倒是挺有钱的。"

"是，那个开羊肉汤馆的……"她不方便掸去烟灰，大半截掉在手指缝中，让人有焦煳痛感。

我又看了看时间，一个小时，是说得过去的会见时间，律师一般两周会见一次，我一个月来了三次，谁也不能说我应付敷衍。我正把笔记本收拾进包里，林凌抽完那支烟，把烟头放在栏杆上，细碎烟灰半浮空中，她突然开口说："她打算搬家。"

我愣了愣："谁打算搬家？叶敏敏？"

"她不是要和羊肉汤老板结婚吗？他们买了套房子。"

"在哪里？"

"威尼斯家园，三室两厅。"威尼斯家园里都是电梯公寓，有喷泉、棕榈树和不太干净的游泳池。我和关静去游过一次，水面漂动皮屑，游着游着突然热流袭来，除了有人在水中撒尿别无解释，然而这就是我们城中的高档小区。

我觉得不安，却又兴奋，像一个竭尽全力被摁进水里的气球，再也控制不了挣扎着涌出水面，我死死摁住自己的气球，却想看到别人的浮出水面，以证明我不是唯一一个藏起气球的人。会见室猛然间热到不能忍受，我穿一条黑色无袖连衣裙，清晰感觉到腋下濡湿，汗水顺着拉链一路流到腰间，我问林凌："你不想她搬家是吧？"

林凌也站起来准备走了，灯管白光下她长得像我们每一个人：叶敏敏，我，也像关静，但关静多年没有素颜出门，游泳时她也用防水粉底和唇膏，我拿不准她现在的模样。林凌说："是啊，这么多年我们一直都在一起的，要不是同学，要不是同事，要不是邻居……她要是搬了，以后见面都不方便。"

村口打不到车，我一路沿着坡往下走，在低矮的柚子树下徒劳寻找树荫。柚子结出拳头大小青果，隐藏在油绿树叶中，猛撞上去既觉钝痛，又觉清醒。堰塘边还是有人钓鱼，有条黑鱼躺在水红色塑料桶里，它转不开身，首尾相连就那么硬挺挺憋在水里，露两排细牙，灼灼烈日之下，它会死得很快。

5

　　去老街看戏前，我们在路边吃饭，关静点了一道黑鱼三吃：泡椒鱼片、酸菜鱼头、鱼尾鱼架做汤。我疑心在这个下午盛夏抵达顶点，每个人都出了一身又一身汗，但都夸关静菜点得好，黑鱼新鲜，应该是今天才钓上来的鱼。

　　吃完饭我们走到社区文化中心，今天演《白蛇传》，爸爸说，里面的钵童可以变八张脸。我记得《白蛇传》，以前陪外婆看过，一开始白蛇在峨眉山修炼，后来才去西湖，变八张脸的钵童是在水漫金山那一段。

　　七点半还有明亮天光，云被撕得粉碎，但大风卷起沙尘，让万物既暴露在外，又有藏匿之地。老街上挤挤挨挨，卖石榴的人几乎把两挑石榴放进了公共厕所的门洞，有人就在那门洞口讨价还价，买下几个石榴，装在水红色塑料袋里。好像城中所有人都赶来看这场免费川剧，我们陆续遇到小学老师、中学隔壁班班长和关静中专时的男朋友。他穿灰色汗衫，短裤却配皮鞋，手上抱着一个泡好茶的保温杯，关静装作没有看见他，他可能是真的没有认出关静。

　　他走了很远，关静松一口气说："有时候真希望这个人根本没存在过。"

我们都买了一支橘子冰棒，香精甜到近乎于苦，吃到一小半就开始融化，滴滴答答黏在手心里。我突然问关静："你还有没有希望过谁根本不存在？"

关静沉默片刻，忽然轻松起来，说："有啊，我们行长。"

前方道路逼仄，却也有小孩放风筝，两只一模一样的蝴蝶，翅膀上画着繁复花纹，都飞得很高，好像在向那灼灼落日奔去。我想到多年前的春天，又问她："你记不记得我们那次去东源井放风筝？"

关静扔掉冰棒棍子，漫不经心说："我们什么时候去放过风筝？"

"就是有一年春天呢？班上春游，我们好像一人放了一只蜈蚣。"

"不可能，我们从来没有一起放过风筝。"

"那是谁和谁放的？"

"谁知道，除了我和你，任何两个人。"

后来终于进了院子，夹竹桃似乎整年开花，我们小时候都看过《黑猫警长》，知道它茎、叶、花无一不毒，茎中乳白色汁液含有夹竹桃苷，0.5毫克即可致死，但夜色中那花开得正好，谁会去榨出茎中汁液？哪怕明知有毒，夹竹桃还是夏天里最美的花：玫红花瓣，鹅黄花心，最后结出青色荚果，像一个变形的小辣椒。

　　他们都排队去了，我先转到基督堂这边，房间前头有一张铺塑料布的木桌，桌上渐次摆开两个仿铜烛台和一个铝制十字架，墙壁上挂三张耶稣像，红纸黄字半悬空中"热烈庆祝耶稣复活节"，今年复活节刚好遇上清明，耶稣在这满城红鞭炮和黄纸钱中复活。房间里有守教堂的老太婆，穿一身棉绸印花睡衣，我听她絮絮叨叨对一个中年妇女讲耶稣在诸城中行了许多异能，那些城的人终不悔改，耶稣就说："但我告诉你们，当审判的日子，所多玛所受的，比你还容易呢。"那中年妇女端着饭碗，碗中有几块魔芋烧鸭，大概是吃着饭无聊，就四处转转，没想到要受如此这般惊吓。她正打算离开，眼睁睁地，我们都看见有一只蝴蝶风筝断了线，急速坠下，缠在夹竹桃枝上，天空中另一只，却只是飞得更远。

　　关静远远叫我："……顾小梦！赶紧过来，你还要不要看变脸？"我答应她，往那摇摇欲坠的戏楼走去，我要看变脸。

柠檬裙子

Lucky me

奥巴马的第二个任期刚刚开始，我从 125 街搬到皇后区的艾姆赫斯特。房东退我一千美金押金，遗憾地说："这栋楼风水多好，奥巴马以前就住这里呢，真的，就在八楼。靠街那套两室一厅，看到没有，也是格子窗帘那个。真的，一九八二还是一九八三年，他那时候呢，帅倒是也帅的，就是比现在还黑。"

八二或者八三年，房东本人真的还在福建捕鱼，日日坐小舢板出海，一网网捞起皮皮虾，他晒成奥巴马一般的颜色，攒十年钱才能跟着蛇头偷渡到纽约；又在唐人街打十年工，他买下两套哈林区的房子：一套自住，一套出租。哈林是黑人区，深夜里有时会枪战，房东告诉我："不要怕，把窗帘拉拉好。"我就总拉好奥巴马同款格子窗帘。确有枪声，却似乎永远空放，我想象深夜中两个光头男人，戴黄金耳钉，隔着可能 500 米放枪，得瞄准对方方向，又生怕打中，含混不明，而心照不宣。

　　房东真心为我焦虑："好好的曼哈顿不住，要搬去皇后区，姑娘我给你说，没有哪个曼哈顿的男人，会跑去皇后区跟你约会……真的，就算你坐地铁过来吧，还得自己坐地铁回去。"然而也没有人愿意送我回哈林区。不知道怎么回事，男人对我的热情仅够支撑从 105 街走到 116 街，至多抵达 119 街，他们总说："太晚了，明天还得上早班。"事已至此，我宁愿住到皇后区，房租低两百美元，走路五分钟即到华人超市。超市里一眼望去：上海青、鸡毛菜、豌豆苗、丝瓜尖，冷柜里有一盒盒洗净切段的肥肠，两美元一盒，我就总吃红烧肥肠。

　　我住一栋 house 的三楼南房，平日只用防火梯出入，深夜爬梯，院子里的藤藤蔓蔓中有鬼光闪动，我吓得滚上楼，以为是某种枪支的瞄准器，后来才想到，艾姆赫斯特没有枪战，那大概是萤火虫，或者某只眼睛特别亮的猫。搬到艾姆赫斯特，大概意味着我已经接受什么都不会发生：枪战，爱情，发财，任何事情。时间会继续，但生活安然端坐于这个二十平方米的房间，已经结局。

　　住了三个月，路旁开出粉色樱花，乍眼望去，也是一个曼哈顿式的纽约春天。下班从地铁走回家，树下蹲一只三花猫，挠着树干凄厉叫春，有个男人戴手套口罩，左手拿一罐鲱鱼罐头，右手试图抓住胖胖猫腿。旁边有人说，"姜医生又要免费给流浪猫做手术了"，"是啊，姜医生心真好"，"诊费也收得不贵"……那只猫最后放弃了，喵呜喵呜吃完罐头，顺从地趴在姜医生肩头，走进"姜铭瑄家庭全科西医诊所"。后来我偶尔见过它，阉掉的猫都会发胖，它尤其胖到肚子拖地，上面贴着纱布，大概是皮都磨破了，姜医生就给它细心包扎起来，纱布洁白，说明时常更换。在这个社区里，姜医生可能扮演着特蕾莎修女的角色。

　　到了夏天，我换了一份工作，还是在一家小公司做前台，但有医疗保险，我这才敢去看胃病，不用说，我去了姜医生的诊所。不知道为什么，我打扮了一下，穿一条无袖真丝裙子，米白底色上印满黄色柠檬，米白中跟鞋，把头发编成辫子。我长得一般，单眼皮，皮肤苍白，脸颊上有星星点点雀斑，在外国人那里还能糊弄成东方美，可惜我已经打听过了，姜医生在国内长大，后来才来美国读了 MD。

　　姜医生还是戴着口罩，看不出模样，只觉个子中等，身上一股让人安心的消毒水味。听诊器从胸口伸进去时，我们都略微尴尬，他明明对准腹部，我却听到自己的心跳声。姜医生说带一点南方口音的普通话，问我："如果痛的程度是从 0 到 10，你觉得自己是多少？"

　　我想了想，说："4 吧……特别饿和特别饱的时候是 7。"

　　他点点头，低下来看手里的血检和尿检化验单，眼睫毛投下阴影："没什么事，慢性胃炎，我给你开点药，你有没有保险？没有的话，也可以去法拉盛买一点中国药，便宜很多。"

我感动起来，又有点骄傲地说："有的，我有保险。"

开处方时终于看到他的脸，也就是斯斯文文的医生模样。嘴角有一块旧年伤疤，不怎么年轻，只是看过去让人放心，好像忍不住一见他，就主动展示自己的心肝脾肺，汇报一日三餐。他双手光秃秃，指甲几乎剪进肉里，没有戒指，我想起上个月倒垃圾，听楼下两个中年妇女私语，"姜医生到底有没有对象，这么好条件怎么四十多了还不结婚？"，"没见过，欸，你说，他是不是 gay ？"，"Gay 也该结婚了啊，纽约又不是不能结……要不我们给他介绍个男朋友？"，"但姜医生是基督徒，每周都去教堂做礼拜。"，"那又怎么样，除了耶稣基督，每个人都有每个人的罪，同性恋的罪不比我们来得大。"后面就开始讲经，我扔掉垃圾袋，回到房间才笑出声。

姜医生看起来不需要男朋友。诊所内空调开得很低，三个护士都穿薄毛衣，听诊器四处游动时，我却知道他手心有汗，在两个人都没法看见的空间里，升起两个人都心知肚明的暧昧。出诊所时又看到那只猫，纱布不知道掉在哪里，它肚皮还是带伤，圆滚滚蹲在门边，耐心等待姜医生前来照顾。夏日有一种不容置疑的热情，诊所前的院子长各色野生莓子，我摘了几颗逗猫，它啪地用爪子压碎，红红紫紫汁液渗进水泥地面，像不可能洗去的血迹。

我吃了一颗淡红的覆盆子，咬破那一刻酸雾弥漫，连猫都眯上眼。我想，没有关系，下一次来的时候，它就彻底熟了，我可以摘一篮子，做成果酱，送给姜医生。

十月底，纽约喘不过气地下雨，五十三大道覆满红叶，这种时节，连艾姆赫斯特都美得惊心，我们打算去旅行。

诊所不能离开太久，姜铭瑄说："要不……我们就去去普林斯顿？那边的秋天倒是真的美。"商量的语气，他就是这样的人，明知道任何事情我都会说"好"，但还是规规矩矩和我商量：要不我们周末去看《歌剧魅影》？要不晚上吃越南牛肉粉？要不你少喝一点咖啡，你不是胃不好？要不你今天穿那条柠檬裙子？任何事情。

我连忙去请了年假，老板以为我生病，说："Jenny，你看上去很累，是应该好好休息几天。"

我当然累，两个月里天天失眠，黑暗中凝神看姜铭瑄的侧影就能看三个小时，不敢相信自己的运气。一个月前，他让我退掉房子，搬进他家，距离诊所步行十几分钟，但那里已经是好学区。

两层楼的小 house，前后都有不大不小的院子，前院篱笆上种层层叠叠的玫红色九重葛，后院搭着葡萄架子，搬进去的时候正挂着果。在二楼卧室做爱之后，姜铭瑄说："要不要吃点葡萄？"我们就一起下楼，坐在后院里吃葡萄，吃一串摘一串，也不用洗。紫葡萄结霜色，黑暗中我们都懒得开灯，夜风拂过眼前所有，像一双温热而满怀爱意的手，像刚才他的手。

去诊所开了三次胃药，还没有下决心做果酱，姜铭瑄已经发短信约我。明明两个人都住在皇后区，我们却要在曼哈顿见面，分别坐地铁去，又一起坐地铁回来，笃定和诚意就这样在 R 线沿途慢慢上升聚集。车厢中有墨西哥男人找另一个墨西哥男人搭讪，学中文的犹太人手持一本颜真卿字帖，我和姜医生端坐在橙红色狭小座位上，一路沉默。从 42 街回到艾姆赫斯特，他送我到楼下院子，夏日正抵达顶点，从地铁到家短短五百米，我出了一身又一身的汗。

第二次约会的最后，他说送我上楼，防火梯狭小，只能一前一后上去，我又穿那条柠檬裙子，怕在前面走光，就让他先上。楼下的人都睡了，后院里甚至没有一只猫，只有我的细跟鞋敲打铁质楼梯，像有人不肯罢休，反复催促。我们刚爬到二楼到三楼的拐角，他突然顿住，转头把我拉向他胸前，吻了下来。我们晚餐吃法国菜，前菜是牛油果浓汤，甜品是柚子冰淇淋，吻中就有这些，混杂出一种甜蜜的恶心。

我打着颤儿走完最后几层楼梯，开始思索今天有没有穿蕾丝内裤，但姜医生是个君子，他进了房间，喝了咖啡，却说："我下次再来……今天……今天是我太着急了。"天知道，我生怕他太不着急，怕这团完全不合逻辑的火，突然间合乎逻辑地熄灭。他走后我溜进公用卫生间洗澡，眼妆还没有卸，我痛痛快快哭了一场，蓝紫色眼影被泪水晕开。镜子里的女人看起来有一股细想之下让人害怕的狂热，我把她的脸浸进凉水，再抬头时，皮肤透出血管，中间分明流动灼灼烈火。

一起去了两次超市，我已经成为社区热门人物，人人都想看看"姜医生的女朋友"，好像我会巫蛊之术。加拿大蓝蟹明明七块九毛九一打，卖水产的阿姨一定要再给我加两个。十四个大螃蟹，蒸出来两个人怎么也吃不完，姜铭瑄剥出蟹粉，装在一个密封玻璃瓶里，"以后我们用来烧豆腐。"

第二天我就去他家烧了蟹粉豆腐，厨房宽大明亮，望出去满院子杂色月季，有松鼠蹑手蹑脚，从窗台上偷我的水煮花生，姜铭瑄正把碗筷搬到葡萄架下。刚下了一场雨，户外有沁凉空气，我们坐在微微湿润的藤椅上，吃了花生、豆腐、青菜钵和一条蒸得正好的鲈鱼，姜铭瑄一直夸赞我的厨艺。但即使在床上，他也从未夸过我的容貌、身材或者皮肤，关上灯之后，他显得异常激动，抚摸我全身时，却是他全身爆出鸡皮疙瘩，有两次他几乎来不及戴套。然而他一直是沉默的，黑暗中连喘息声都刻意压低，我想，他是个诚实的人，我的身体值得夸赞的地方，并不是很多。

无论如何，从那一盘蟹粉豆腐开始，我不再叫他"姜医生"，和他说完话，也能勉强克制住不要下意识鞠躬，这大概意味着我自己也慢慢接受这件事。旁观者自然有万分疑惑，然而最疑惑的人是我。

只有三天时间，我们决定先去普林斯顿，再去费城，跨了州，却也就一个小时车程。费城是我选的，因为姜铭瑄在宾夕法尼亚大学拿到博士学位，"想去你读书的地方看看"，我说。

他看起来有点迟疑，但最后还是说："好的，那要不你先去订房间。"

我找到很好的宾馆，有点贵，但姜铭瑄已经给了我他的信用卡。两个地方都不远，时间充裕，甚至过于充裕，在此之前，我们从来没有在一起超过二十四小时。姜铭瑄周末也是要去诊所的，有一次中午我去给他送饭，没有病人，护士也放假，他一个人坐在空荡荡的办公室里，玩古老的街机游戏。似乎是拳皇，我看他选一个胸很大的女孩子，穿开叉开到腰的红裙，使一把带火星的扇子。我把饭盒放下就走，回到家中，看 YouTube 上的国产连续剧，姜铭瑄总要六点之后才会回家，我喜欢他的房子，我甚至更喜欢没有他的房子。

临行前的晚上，我们没有做爱，早早躺下去，又心知肚明对方依然醒着。越焦灼越无法入睡，大概两个人都开始恐慌，不知道怎么面对即将展开的三天，以及从这三天展开的、无穷无尽的未来。

我们在清晨出发，开着他那辆旧而舒适的丰田。先从林肯隧道开到中城，再沿着哈德逊河一路往北，从华盛顿桥进入新泽西。中间停下来几次，在河边吃我早上做好的培根蛋三明治，又在另一段河边看鸭子凫水。这是确凿无疑的秋天，阳光猛烈，在水面上照出金色幻影，风把幻影打成碎片，它们却又缓缓恢复聚集；气温不低，遛狗的老太太也只穿一件薄开衫，持续的沉默却让我们渐渐都觉得冷，就又回到车里。两个人对三明治无话可说，对鸭子也无话可说，我突然意识到，他一直没和我说过什么，我们曾经讨论过一些食物、明星和连续剧，但更多时间，我只是在反复怀疑和确认自己的运气。这场恋爱本身没有什么可说的，但恋爱的原因，成为最大的悬疑。

十一点就到了普林斯顿，我们在镇上吃海鲜意大利面，他说"这青口还不错"，我说"蛤蜊也很新鲜"，十五分钟就吃完，还各自喝了一杯白葡萄酒。车再往前开五分钟，已经看到校门，听说普林斯顿校园出了名美丽，我却只记得四处种满玉兰树，石墙上覆盖漫不经心的爬山虎。姜铭瑄没有带我在里面停留，我们走一条弯弯曲曲的小路，越走越静，直到让人心虚，最后眼前出现一个小湖，他终于在湖边木椅上坐下来，湖水清澈，映出前面密密树林。

"你来过这里吗？……普林斯顿高等研究所，就是当年爱因斯坦工作的地方，这里其实和普利斯顿大学没有关系……我很喜欢这里，以前读博士的时候，开车来过几次。"

我摇摇头："我哪里都没去过，一直就在纽约……哦，刚来时去过一次大西洋城，坐那种为赌客准备的免费往返大巴。"

姜铭瑄像是第一天认识我，"哦"了一下，然后问："你怎么来的纽约？"

我迟疑了一下，说："我结了婚……跟一个有绿卡的台湾人……十年前吧，但等我的绿卡也办下来，我们又离了婚。"

他无意识地点了一支烟（我第一次注意到他会抽烟），甚至没有表现出起码的惊讶，只是又"哦"了一声，说："为什么离婚？"

"也没为什么……他认识了另外的人。"我没有勇气坦白，结婚大概也是为了拿绿卡。台湾人比我大二十岁，和我一般高，为了拍结婚照我只能光脚。都说他是"老板"，到纽约之后，我发现他住在法拉盛的两室一厅里，在缅街开了一家台湾卤肉饭。营生辛苦，他身上一股红葱味，终年不散。离婚的时候我还是伤心的，短短一年，我再怎么处心积虑，也只存了五千美元。

要是能拖到第三年就好了，我当时想。

这个故事不知道怎么让姜铭瑄着迷，他又问："那你怎么在纽约过下来的？"

"开始是打黑工，拿最低薪水以下的钱……后来我读了一个社区大学……没有学费，两年就花了一百美元买二手教材……毕业后就能找到一些行政工作了。"

他再次"哦"了一声，在长椅上摁掉烟头，又细心用纸包起来，湖中飞来一只白色大鸟，他就一直看那只鸟徒劳地在水中找鱼。我开口问他："那你怎么来的纽约？"

"我？……我没什么可说的，国内读本科，来美国读了研究生和博士，考到执照后先去了一家公立医院，就在下城……那医院也不怎么样，华人医生，找不到太好的工作……后来我就自己出来开了一个小诊所……开始更小，现在这个已经是换了地方了。"姜铭瑄语气索然，特别幸运的人就是这样，讲出来全是应当，没有故事。

我明明看见他把包烟头的纸放进风衣，再拿出来时，却变成一个淡蓝色小盒子，上面系着丝带。他没有跪下，甚至忘记打开盒子，只慌慌张张把它塞进我手心里，说："简凝，你觉得……我们结婚好不好？"

当然是好，但我也没有哭。一切都发生得非常僵硬，像两个毫无演技的人，排练一出漏洞百出又极尽乏味的话剧。戒指倒是不错，钻石不大，但镶得很美，尺寸也没有问题。他后来终于想起来给我戴上，我们在湖边接了吻，那只大鸟终究没有找到鱼，正转头看着我们拿出手机自拍。镜头中他牵起我的手，吻我的戒指，这个画面并不容易拍到，有时候拍不到钻石，有时候把他的嘴唇拍得猥琐，我又想不经意带到放在椅背上的淡蓝盒子，我们反复调整角度，总算拍到一张，能让各自发在朋友圈。

就这样，我们算订了婚，以后不管对谁描述，这都是一次体面而浪漫的求婚：爱因斯坦工作的地方，湖水，树林，水鸟，天空，深秋，Tiffany戒指，起码十张照片可以确认这些事。

反正照片太容易柔化生活，至于我们内心确认的尴尬、荒谬和疏离，只要无人知晓，也许就等于从未发生。

　　两个人在酒店餐厅里吃晚饭，我吃烤小牛胸肉，他吃香草肋排，牛胸肉烤焦了，那肋排起码有一斤，我们闷头闷脑，也就这么吃完了。喝了一整瓶 Riesling 之后（我又是第一次注意到，他原来酒量很大），姜铭瑄终于高兴起来，像是订婚这件事，拖延六七个小时之后，终于迟缓抵达了他头脑的某个不确定区域。买单的时候我眼睁睁看着他，签了30%的小费，还大着舌头，对服务生用中文说了十七八声"谢谢"。

　　我们回到房间，他明明是去洗澡，却赤裸着跑出来，猛然抱住我，说："简凝，我真的要结婚了啊……哎呀，我真的要结婚了啊！"无端端地，我留意到他说的是"我"，而不是"我们"。

　　也不是第一次被裸体男人抱住，但今天我还穿着套头毛衣和牛仔裤，连鞋都没有脱，正在沙发上玩手机。天花板上顶灯直直照下来，我错过眼睛，不敢看他的身体。几个月里我们性生活频密，但姜铭瑄喜欢一切在暗中进行，他的卧室挂百分百遮光的窗帘，我们甚至看不清对方身体的轮廓，徒留触觉。他掌心有一块粗糙硬茧，"真的是医生啊"，第一次我想，后来渐渐疑惑，姜铭瑄是全科医生，并不拿手术刀。

　　他又把我的头转过来，想和我接吻，红酒在胃中发酵后让人恶心，肉体上蒸腾汗味，但我激烈回应了他，舌头纠缠舌头，又在他的身体上游动双手，因为难得有这样的时刻，我们都确认对方的热情。可惜这一切只持续了十秒，他突然打了一个味道复杂的嗝，然后冲去洗手间，蹲在马桶前吐起来，吐完之后，他切换回我认识的姜铭瑄。

姜铭瑄洗澡出来，整整齐齐穿好睡衣，扣子扣到最上面那一颗，睡裤挽起裤脚。他走到沙发上握住我的手，露出我熟悉的微笑和生疏，说："简凝，真对不起，刚才我喝醉了。"

我看着这个人，试图从这张脸下找到另一张的影子，然而什么都没有，眼前实打实是我的未婚夫，我把手抽出来，说："没关系，你先睡吧，我也去洗澡。"

第二天我们都睡晚了，恍惚听到风雨声，似乎我还身在北京，住南四环的顶楼小公寓。八十年代的老公房，说是一室一厅，那客厅放一张折叠小方桌，只能容下两个人挤挤挨挨吃饭；卧室大倒是大，但天花板熬不过夏天的第三场雨。有两次我睡着睡着被身上的雨水惊醒，并不冷，只是让人绝望。就是在那段时间里，我认识了前夫，当时我还算年轻，大概有难以拒绝的青春之气，现在我也不丑，但不知怎么回事，每次走在曼哈顿街头都会胆怯，像从哪里盗取了生活，有不断下坠的心虚。

梦中我又感到雨水从脖子钻进睡衣，下意识想起床去卫生间拿塑料脸盆，等挣扎着醒过来，发现自己住在四星级酒店里，只是昨晚忘记关严窗户，而窗外下着暴雨。起身关窗的时候，我看见雨水似透明冰锥，毫不留情地击打万物。路上有个女人，徒劳地撑一把伞，她距离任何一个遮蔽物都颇有距离，慌乱中她似乎思索了一下，不知道为什么，往最远的方向走去。想到自己已经身处安全之地，我不由自主回到床上，抱着姜铭瑄的胳膊，又睡了两个小时，再起身的时候，我们却各自缩在 kingsize 大床的一角，中间隔了起码一米距离。

到费城已经下午三点，我们从暴雨中开出，一路往南，慢慢抵达晴朗之地，路上我剥出一整个柚子，把果肉一瓣瓣喂给姜铭瑄。他今天一直不怎么高兴，大概因为昨晚的失态，因为他是那种从不失态的人。我渐渐发现，姜铭瑄习惯于活在"姜铭瑄"的设定里，一旦偏离设定，他就会惊恐焦虑。这没什么不好，我也活在"我"的设定里，我只希望我们各自稳定系统，毕竟一生也没有那样漫长，如果我们有足够的好运气。

我们把车停在宾大附近，然后沿着一条主路往前走。深秋，哪里都是相似的美丽：夕阳、草坪、落叶、微风中各色套头毛衣，没什么特别，却总让人高兴。我们慢慢进入当前场景，他牵起我的手，我则愉快地问他："以前你住哪栋楼？我们要不要去看看？"

他用手漫不经心指往某个方向，说："……好像就那边，不用去了，我也找不到……后来我没住学校里。"

"那你住哪里？"

"一个小镇，就在河对岸，离费城得坐七分钟火车……但那边就属于新泽西。"

"咦，你为什么住那么远？"

"费城的房子都贵，我又不习惯和人合住……反正每天往返也就不到一个小时。"

我搬去他家也有一个多月，姜铭瑄却从未表现出任何不习惯，倒是我，拖拖拉拉一周才收拾好箱子，并没什么好收拾的，我只是在拖延的过程中，勉强消化了自己的不可置信。待他开车把我的两个箱子运去他家，上了二楼，他拉开衣帽间，里面整整齐齐空掉一半，一面新装上的全身镜还有股胶味，他有点不好意思地说："……差个鞋柜，工人刚来量过尺寸，得等几周。"这次出门前，鞋柜已经装好了，我并没有几双鞋子，但姜铭瑄做了一个顶天立地的鞋柜，他说："慢慢买，你喜欢什么牌子？"

我们在宾大著名的LOVE雕像旁休息，四个鲜红字母叠成两排，间或有学校里的情侣前来合影。这是一天中光线最好的时刻，那种转瞬即逝的紧迫感，让每一对看上去都要命地相爱，连我都涌起不可抑制的柔情，靠着姜铭瑄的肩膀，问他："你们学校这么美，你在这里难道就没有谈过恋爱？"

他的眼睛不知道在看哪里，从回到学校开始，他的眼睛一直不知道在看哪里，然后茫茫然回答："没有……MD太忙了，我又不认识几个人。"

"那后来呢？你毕业也有十年了吧？总不会一直都一个人。"

他陷入了原因不明的沉思，过了许久才说："……也不是，有过几个女朋友，就是都很短。"

"为什么？"

"没为什么……她们……她们都不是你。"

我应该感动，但就像姜铭瑄说过的所有情话，他说得诚恳，却听起来悚然。我疑心他把几十句诸如此类的情话事先写好后存在手机里，再逐句抛出，可能是全世界最简洁有力的迷雾弹，我习惯了这一团团白雾遮蔽出路，却引导终点。

我提出想去他以前住过的小镇，姜铭瑄却罕见地明确拒绝了，"没什么可看的，很闷的社区，没有任何地方可以吃饭，开车十几分钟才到一个韩国超市……我吃了好几年辛拉面。"

"反正还早，而且你不是说坐火车只要七分钟？"

"但这段路我没开过车，不知道怎么过河，绕来绕去很麻烦。"

我也不说话了，两个人都故意略过 Google map，好像一个你不想去的地方，就能自动躲避卫星和内心的跟踪。走出校园后，姜铭瑄说："我想带你去一个地方吃饭。"

我以为无非是费城市区的某家高级餐厅，龙虾鹅肝红酒，我渐渐开始熟悉的这一套。但车出城后还开了很久，沿途树影渐渐黑下去，最后徒留轮廓，天上是下弦月，照出一条狭窄的前路。我迷迷糊糊睡着了，混沌中听到车里在放《芝加哥》。

这出戏姜铭瑄带我去看过，他还带我去看大都会和《阿伊达》，我们甚至在华盛顿广场附近买了一幅画，五千美元，画某种长在水边的花。姜铭瑄把它挂在卧室里，"这光影有一点点莫奈的味道"。我想，姜铭瑄正在隐晦而有礼有节地，将我纳入"医生夫人"的人物设定，他做得小心，怕触及我的自尊心，但其实我没有什么自尊心，我只有决心，要拼命抓住当下命运。

CD 里的声音渐渐高亢，我在惊心动魄的"live, live, live, live"中醒过来，看见姜铭瑄把车开进一个狭小车位，前头是一个花里胡哨的餐厅，招牌上中文混杂英文，彩色玻璃窗上用大红颜料写着巨大的 $7.99 和 $13.99。他略带兴奋地说，"中式自助餐……晚餐十三块九毛九，但晚上有小龙虾……以前我读书的时候，每个月都要来吃一顿。"

餐厅的装修也就是中餐馆的样子，取餐台上摆几瓶塑料花，餐桌上铺一层塑料，压着红白格子桌布。我们找了一个靠窗的位置，但其实窗外不过是一个空荡荡的停车场，路灯过分明亮，映照出再往前更是一条黑暗长路。菜品不多，但该有的也都有了：凉菜、沙拉、寿司、甜品、水果、蛋糕、不怎么新鲜的三文鱼、红烧肉、堆成一座山的卤鸭头、白灼蟹腿、辣炒蛤蜊、牛排、炸鸡……以及小龙虾。

姜铭瑄几乎只吃小龙虾，一碗碗拿过来，轮流配店里免费供应的扎啤和一种高粱白酒，"等会儿你开车吧"，他喝到第五杯白酒才想起来。小龙虾又甜又辣，掩盖住不怎么紧实的肉质，我吃到第三碗，终于觉得恶心，就去拿了一盘子水果。荔枝和黄桃都是罐头，一股稀释后的糖水味儿，这个季节也没有西瓜，我吃了不少氧化后的水梨，和一些蔫下去的李子。我们来得晚，周围几乎只剩我们一桌，服务员百无聊赖，坐在取餐台附近，眼巴巴往我们这边看过来。

姜铭瑄却还在吃小龙虾。他惊人地熟练：去虾头、剥虾尾、咬开钳子、猛吸一口虾头里的汁，再来一大口酒，整套程序走下来不过十秒，却不断重复。开始我只是呆呆看着他，后来我渐渐也莫名感到激动，我在他没有吃完上一碗虾的时候就盛来下一碗，又为他一杯杯倒酒。那扎啤颜色可疑，高粱酒又过分浓烈，姜铭瑄平时生活讲究，从不喝二十美元以下的红酒。他此时看起来一切如常，却不知道哪个器官早已失去知觉，不管是对酒，还是对这个世界。

到了晚上十点，终于有人过来，小心翼翼表示他们得打烊。姜铭瑄一共吃了十八碗小龙虾，喝了相应数量的啤酒和白酒，用掉一整包纸巾，虾壳堆在桌面上，像一座座红色坟冢。买单时他还算清醒，签了信用卡，又拿出二十美元小费给服务生，道歉说："不好意思……我吃太多了，你们就当来了三个人。"那服务生乐滋滋地去拿了两个塑料袋，"万一你先生在车上吐了。"

上车后有两分钟他死死握住我的手，反反复复说："我爱你，真的，你相不相信？我爱你，你一定得相信啊，我爱你。"

我强行把手抽出来，又给他扣上安全带，懒得回答，反正等到酒醒之后，他会忘记这个问题。

姜铭瑄三分钟后就开始打呼，我则听着导航慢慢开回费城，我订了一家三百美元的宾馆，却现在还没入住。沿途有高大树木，我摇下窗户，前灯照出一只小鹿快速穿过马路，随即消失在树林中。再往前走，开始出现大片水面，不知道是一个湖，还是一条蜿蜒长河，月光下坠于水面之上，像无数条银色小鱼半沉半浮。

姜铭瑄呻吟着醒过来，他茫茫然看着窗外，突然说："停车。"

我以为他想吐，把塑料袋递过去，倒是有点心疼，就絮絮叨叨说："吐这里就行，我们早点回宾馆你好休息……要不要喝水？边上就有矿泉水，后座上还有罐装咖啡，但这个时候最好不要喝咖啡，对胃不大好。亏你还是个医生，晚上怎么吃那么多小龙虾，那东西吃多了肯定不消化，何况还那么辣……"

他似乎没有听到我说什么，用手猛砸一下窗沿，几乎算得上恶狠狠地说："你给我停车！"

我吓一跳，连忙把车靠边停下来，在此之前，姜铭瑄从未对我有过一句重话。他打开车门，不管不顾地向水边跑去，我也赶紧下车跟上，但我穿一双细跟鞋，渐渐和他拉开距离，月光照在我们中间的那段路上，把姜铭瑄拉成长长的黑色投影。

还好他在水边停下来，我这才看清楚，这确是一条长河。

夜中看不清来路，也没有去向，像多年以前我和男朋友坐漫长公交车，到了通州运河码头，两岸生蓬蓬杂草，我们在草中走了许久，他说："原来这就是运河啊……沿着河是不是真的能到杭州？"他是真正的男朋友，彼此可以理直气壮地说"我爱你"，做爱之后会再吻五分钟，然而那时两个人都生活窘迫，又都以为还会有点什么别的等在前头，我们很快分了手。

姜铭瑄叫我："喂，那个谁，你过来，我给你说。"

我走过去，不怎么耐烦，也不想说话。夜半阴冷，空气中似有冰碴，他又说："你听着，我给你说……"

我索性坐下来，又紧紧风衣，他歪头看了我一会儿，也坐下来，对着河面发了一会儿呆，这才真正开口，他口齿清晰，并不像醉酒：

　　我要说什么来着？……哦，对了，你知不知道我十五年前什么样？十五年前，就是我硕士刚毕业那会儿，我长得和现在也差不多，真的，看照片好像是那么回事，实在是差不多……我还在等美国这边的录取消息，怕考不上啊，就先在北京一个小医院里实习，也没什么事，就是隔三岔五要在住院部值夜班……值班很无聊的，你知道吧？我们几个实习生总要先下楼去宵夜，那家医院离簋街很近，我们老是吃烤串，偶尔也吃小龙虾……小龙虾不能经常吃，那时候簋街的小龙虾已经两块钱一只，吃一顿下来是两天的实习工资……

他顿了顿，好像等着我有什么问题，但我没有任何问题，他就又往下说："有一个晚上，八九月份的样子，但比纽约的八九月要热，街上女孩子都还穿裙子，坐下来露个大腿……那天刚发钱，我们就去吃小龙虾，一人吃了五六十个吧，辣得不行，最后还拿汁来拌面条，我就喝了一点冰啤酒……不不不，没有喝醉，喝醉了就好了……喝醉了的话……一切有个解释，对不对……但我真的没有喝醉，真他妈的，怎么就没有醉呢……喝完我回医院去值夜班，刚上楼……我在五楼，刚出电梯口，看到一个女病人，可能刚去水房洗了澡，穿条裙子，按理说病人住院都得穿住院服，她也不知道怎么回事，偏偏穿了条裙子，喏，就到这里……"姜铭瑄在虚空中胡乱划了一下，我理解他是想说很短。

那女的回了508，我想起来了，508是三人病房，但这两天就住了一个人，我想不起她的名字，长得也不怎么年轻，可能和你现在差不多，三十多的样子……我？我那年才二十五，我算过的，三十岁得拿到博士学位……后来我也回了值班室，值班室是513……外面都熄灯了，我睡不着，就先打了一会儿拳皇97，你知道这个游戏吧？我一直用不知火舞，不知火舞你知道吧？一个女的，武器是扇子，胸特别大，穿条红裙子，说是裙子，其实就是一前一后两块布……我打得挺好的，总发大招，打着打着，就觉得热，那时候医院都没有中央空调，觉得热也很正常，你说是不是？

我还是没有回答他，预感像星子一样随着黑夜下沉。姜铭瑄伸出手来摸了摸我的脸，继续说："真的很热……我想去水房冲个冷水澡，水房在走廊的尽头，我往那边走，得经过508……我们医院的地图你想明白了吧？总之我到了508门口，里面黑漆漆的，我刚才说了没有？已经熄灯了……不知道怎么回事，我拧开门进去了……那女的也是，为什么睡觉不反锁门呢，你说是不是？"风已经停了，我却冷得发抖，悄悄往后退了退，这样距离河水和姜铭瑄都稍微远一点。

"……她已经睡了，那条裙子就搭在床尾，医院的窗帘也就是一层纱，月光刚好照在床上，我看见她踢了被子，我说了，那天特别热……后来我就上去了，先捂住她的嘴，她过了一会儿才醒过来，拼命咬我的手心，后来才渐渐软下去。我想她大概觉得挣扎也没有用了，这女人的牙齿厉害极了，这伤疤我现在都还没掉……"姜铭瑄又把右手手心翻给我看，是那个我曾经疑惑过的老茧，"我裤子都脱了，硬得厉害，你知道吧，我那时候二十五岁，两年没有女朋友了……我刚想进去，呼叫器突然响了……值班医生听到呼叫器三分钟必须到岗，不然就要扣实习分……就这样，我穿上裤子走了，得裹上医生袍啊，怕别人看见前面凸出来一块……结果也没什么事，有个病人半夜呕吐，我去了十分钟，给他量血压心跳，又取了一点呕吐物，就算处理完了……后来就回了513，有些事就是这样，过去了就过去了，我什么不想了，只觉得困，去水房洗了澡，关灯睡了。"

我松了一口气，又挪到姜铭瑄身边："你说完了吧？我们回车上好不好？这里好冷，你看到没有，已经开始降霜了。"

他用手指摸摸草地上的白霜，拿到嘴边舔了舔，又说："……没完呢，要是完了就好了……第二天早上我回去睡了一天，再回到医院的时候，听说508的病人死了……杀人犯也抓到了，她丈夫，正在办离婚，说是一大早偷偷溜进来的，想从她包里翻银行卡，她一挣扎，就被捂死了。"

我突然涌起恨意，恨他这最后两百字的转折，恨他一定要把故事讲到结尾，但却还没有结尾："……这件事进行得很快，等我回过神来，案件都起诉到法院了……我去找过公安，真的，我问到主办警察的名字，专门去了公安局，费了好大劲才进门，那个人呢，穿着警服在看报纸。办公室里挂着锦旗，我在新闻里看到，他刚立了一个三等功……我当然很紧张啊，但还是坐下来把整件事都说了，他呢，听完表情也挺严肃，就说，同学，你想太多了，这个案子呢，已经结了，你呢，好好专心读书，你是学医的是吧？以后可是国家的栋

梁，你们学医的人压力太大，一时间胡思乱想也是有的，这样，
你先回去，我们会认真研究一下，有消息了通知你……我真
的回去了，再过几天，我收到了宾大的录取通知书，我就这
么来了美国。"

再没有比当下更需要时间倒流的时刻，我应该回到三个
小时前，制止他剥开可能第一百只小龙虾，制止他的第八杯
啤酒，从而制止这个该死的故事。但既已到了此时此刻，我
只能问他："后来呢？"

他下意识一棵棵揪出青草，说："……没有什么后来，后
来的事情，我不是都告诉过你了。"

"你是不是经常想起这件事？"

"我奇怪的就是这个……我很少想起这件事……过去了的
事情，原来真的就过去了……什么都一样。"他耸耸肩，"我
尽力了，你说是不是？我找过警察的，是他们没有理我，我
能怎么办？我真的尽了力，你说是不是？"我想从他的声音
中听到痛苦，悔恨，或者类似的东西，但什么都没有，他语
气索然，只有困意。

姜铭瑄的确困了，慢慢向草坪软下去，我则问了一个刚
出口就决心忘记的问题："那个女的，穿一条什么裙子？"

"柠檬裙子啊，我刚才没有说吗？"他又嘟嘟囔囔了一点
什么别的话，终于倒下去睡着了。原来深秋的夜晚有一种凄
厉凉意，冰霜断续降于水上，却留不下任何痕迹，河水汤汤，

让一切更显冰冷，我可以回到车上，但我一直坐到姜铭瑄醒过来。

他醒过来，脸上沾满草籽，茫然看看四周，问我："这是哪里？我是不是又喝醉了。"

我握住他的手，我们都冷透了，像一块冰试图温暖另一块冰，我说："是啊，你喝醉了。"

车开进费城时天已经有蒙蒙亮光，他还是不敢开车，我又困得厉害，眼前渐渐有大团雾气，他就从后座拿了罐装咖啡，细心地替我拉开。一罐特浓下去之后，我凝神看着前方，确信我们走在正确的路上。我想，没有关系，一辈子其实也醉不了几次酒，绝大部分时候，他还是我的完美丈夫姜铭瑄，只要我们都有足够的好运气。

椰树长影

Choices

　　大暑那日，我和季风在艾镇摆酒。选在镇上最气派的一家酒店，但艾镇的气派，无非"世纪大饭店"的招牌上挂满塑料红玫瑰花球，泛着油光的红地毯一路铺到二楼，"鸾凤厅"门口放五层大蛋糕，上面立的两个小人白着脸，没有五官。就这样还1288一桌，说是保证两个海鲜菜，附送一个婚礼主持，身着紫色灯芯绒西装。

　　我表妹是伴娘，兼收礼金，在门口黄桷树下摆一张桃木桌子。她化了大浓妆，穿宝蓝色纱裙，等不及客人走掉，就开始用涂着猩红指甲油的手指拆红包，然后公开把所有低于四百块的名字记在一张纸上。老槐树上知了竭力而鸣，路边栀子花有油焖笋香味，艾镇的老房子拆了一大半，却拆了也就是拆了，一直没有下文。两旁都是瓦砾堆，世纪大饭店孤零零站在当中，碎石灰腾起浓浓白雾，客人们打着伞从雾里走过来。我穿十五厘米高跟鞋站在门口，从八点开始太阳就顶头照，妆完全花掉了，婚纱拖尾上洒了一杯完整的果粒橙，有客人远远看见表妹，偷偷摸摸往红包里加了一百块钱。我很满意，结婚就应该这样。

　　仪式漫长，爸爸的家长致辞已经超过二十分钟，厨房憋着一直不肯上菜，客人们开始露出茫然神情。爸爸以前是艾镇文化馆的文学干部，退休前一年评上了副高职称，今天早上专门吃了三两排骨面和十个红油抄手，他大概早就下定决心，要在婚礼上掏心掏肺抒情。

　　爸爸又铺垫了五分钟，终于抵达高潮："……昨天晚上我没有睡着，想着如果我的父亲今天也在这里，他会多么高兴。我父亲死于一九六七年，他一辈子都是艾镇中学的校长，死之前却只是个拉板车的车夫，死因大家也都可以想象，这是时代的悲剧，也是家庭的惨剧……现在，我要向他敬一杯五粮液，希望他的灵魂能回到艾镇，参加从未见过的孙女的婚礼。"

　　爸爸动了情，拿出手帕，大家都听到今天酒席上居然有五粮液，掌声热烈，也有可能是因为终于开始上菜了。三文鱼刺身带着冰碴，鳜鱼努力昂起完全不像松鼠的头，上甜品的时候我们终于敬完酒，甜品放在长盘上，是用冻牛奶和红豆沙做成的麻将牌，正好一副十三幺。我吃了个红中，正打算再拿个东风，奶奶坐在我边上来："幺妹，听说你们是要去台湾度蜜月？"

"是啊……后天就走，都是季风选的，台湾现在38度啊奶奶，都不晓得过去是不是每天在宾馆里头吹空调。"

"你替我去见个人，拿包东西给他。"

"……什么人？奶奶你还认识人在台湾？"

"你不要管，见到人也别说话，放下东西就走，这东西也不值钱，就是不放心寄过去。"

然后给我一个小小的扎染蓝布包，顶上打结的位置塞进去一张叠好的八行笺，隐隐看见秃笔淡墨的小字。奶奶说："喏，纸上是电话地址，就在台北。"

奶奶姓方，老太太们上了年纪也就叫老太太，但她一直叫方永梅。虚岁刚过八十四，今天穿淡青色乔其纱旗袍，上面绣着小朵小朵白梅，头发没有全白，挽成一个整整齐齐的髻，手上一对赤金扭麻花镯子，戴的时间太久，金的颜色沉下来，却有一种"祖上曾经阔过"的铮铮铁证感。其实只要奶奶还活着，穿紫红色丝绒外套，坐在老屋临街的藤椅上看书，偶尔有风吹起长袍滚边，露出黑色绣花鞋上的蝙蝠翅膀，谁也不敢怀疑，方家真真切切祖上曾经阔过。

酒席在下午三点终于散了，现在流行摆酒只吃午饭。我换上短裤拖鞋，季风脱下西服，衬衫前后湿透，他拿两大口袋没发完的喜糖，爸爸抱着婚纱走在边上，今晚大家都住老屋，说是老房子看起来喜气。我们路过镇政府的大门，爸爸一万次重复这些话："你看，登记室那张桌子，是你太外公家的黄花梨木插肩榫翘头案几，小时候你奶奶逼着我在上面临汉碑帖呢……里头花园里还有个大石缸，外面刻着迎客松鹿回头，青苔有手掌那么厚，里头的乌龟怕还是我十岁那年放进去那只呢，现在……哼。"

我觉得烦，怕季风不像我这样久经考验，听得懂"肩榫"和"翘头"，更怕他觉得这家人原来这样可笑，就岔开话题，提了提那个蓝布包，爸爸沉默了一会儿，说："让你把东西送去你就去吧。"

其实我已经把事情想明白了。爸爸今天提到的那个父亲，倒不是他真正的父亲，奶奶再嫁到白家的时候，爸爸已经有七八岁，之前的那个人，家里没人怎么提过，好像希望这回事就这么囫囵着过去了。我一直以为是死了，想着奶奶这辈子死了两个男人，她颧骨又高，我处处小心，不敢在她面前随便讨论命运和面相，现在才知道前头那个还在台北，只死一个老公，就无论如何不能充分论证"克夫"这回事了。

我有点兴奋，没想到这种故事能发生在我们家。但想想又觉得公平，这么多故事游荡人间，一家一户按理也得平摊一两个，哪怕时代的悲剧，哪怕家庭的惨剧。

回到家里，纵是外面空气都热出金光，老屋里却还是有浸浸凉意，灰色石砖刚洒了水，墙角青苔是沉沉墨绿，奶奶换下旗袍，照例一丝不苟穿着青色真丝长褂。她泡了一壶杭白菊，我们就坐在黑沉沉的八仙桌旁喝茶，看菊花在玻璃杯里慢慢舒展出繁复花瓣。墙壁上高挂着爷爷的炭笔相：小圆眼镜，长衫扣得很紧，头发涂得漆黑，高高耸起一块，有几分胡适的样子。下面是奶奶的字"白墨轩遗像"，字是多宝塔碑上那种颜体，一撇很轻，一捺极重。

季风指着上头偷偷问我："怎么死的？"

我努力往上拽脖子，又指指那根巨大的黄杨木横梁。

我和季风先后洗了澡，倒在大红绸缎床单上，大红被面上开着朵朵绿色牡丹花。我睡得沉，几乎被魇住了，千辛万苦地挣扎着醒过来，一眼看到床尾小凳上的蓝布包。窗棂上糊着翠色纱窗，因为再找不到这种纱，那颜色历经时间，越来越浅，正透进今天最后一点光。除此之外屋里已经黑尽了，顶上吊扇慢悠悠转，在什么都没有的空气中撞击出声响。

我大声叫醒季风，不想配合老屋演这出阴阴冷笑的戏码。

和林三民在电话里约好，我们就在台大池塘边的长椅见面，他说不清楚地点，含含混混表示"就是沿着椰林大道走到头然后左拐，再绕几下就能看到的池塘"。我的心眼突然变成米粒大小，鄙夷他连找个有空调的咖啡厅都不舍得，烈日当空和我约在下午三点的户外。

季风说："你怎么叫他，爷爷？"

"呸，你在边上等我三分钟，看我扔下包就走，我们转头就去紫藤庐喝下午茶，我连喂都不要喂他一声。"

最后的确没有喂一声，我客客气气叫他"林先生"，为一种奇异的自尊心，怕他觉得我家教不好。叫爷爷是绝无可能，我只认炭笔画里疑似胡适那个是我爷爷，春节清明七月半给他烧黄纸，八仙桌上供一刀煮成七分熟的三线肉，清晨供到傍晚，最后加蒜苗炒成回锅肉。爸爸说，爷爷上吊之前，怕家里人收拾尸体麻烦，提前给艾镇街上的"白事一条龙"付好钱打好招呼，让他们下午四点来家里。他死于三点四十，穿一件刚浆洗过的蓝布长衫，他在八仙桌上垫好报纸才踩上去，桌上还有一本翻烂了的《石头记》，书签放在晴雯被赶出大观园那一页。

林三民怕也过了八十五，我忍不住恶毒地想，有些人——比如我奶奶——你就觉得是长寿，有些人——比如他——你就觉得是活得太久。他按说个子不矮，却总像被人从哪里截去一段，具体是哪里又难以定义。穿上面印斗大"福"字的土黄色对襟短卦，面料低廉，一看就是全化纤；下面穿一条黑色大裤衩，黑色凉皮鞋。我想到奶奶的五六七八件旧旗袍，天冷了披上自己打的灰色羊毛坎肩，哪怕洗得走了丝，也比眼前这个人气派一万倍。我感到高兴，好像下棋的时候已经先吃了对方一个马，又稳稳地把车挪出来，心里分外安定。

林三民抹着汗，用台湾普通话说："真不好意思啦，本来应该请你们到家里去坐坐，但今天我在边上的医院针灸，我也没办法啦。"

我注意到他也没叫我名字，估计是也不知道该怎么定位和我的关系。我把蓝布包递过去，如果我现在掉头就走，在气势上等于用卒换了对方一个炮。但我控制不了好奇心，想看里面到底装了些什么，之前我和季风已经试了各种办法想打开，但奶奶显然防了我们有这手，她缝死了打结处，想打开必须得把布剪坏。

林三民摸着包，脸色渐渐变了。太阳正是最毒的时候，池塘边空无一人，几只胖墩墩的鸭子凫着水，大半个身体沉到水下，只有我们三个人，神经病般无遮无蔽、并排坐在滚烫长椅上，晒成三片蔫黄叶子。季风和林三民中间隔了一个我，他有点激动，半站起身子，没想到度蜜月还能看这么场戏。我羡慕他，坐在台下看戏的人只需要悠悠叫好，不像我，无可逃避地非要打这场酱油，上台后茫然四顾，几乎接不上下一句台词。

我故作镇定，把瑞士军刀递给林三民："林先生你还是打开看看，有没有少什么东西。"

他流着汗，慢慢把死结割开。天色无端端在几分钟里暗下去，又无端端打起雷来，我和季风把头凑得不能再近，闻到他身上的浓重汗味。包里有一堆信、一个布皮笔记本、一个文件、几个看不清楚的小东西，林三民大概也就瞄了一眼，就把布包重新系起来，慌慌张张地说："不好意思不好意思，我有事得先走了，改天再给你们打电话，实在有事，我也没办法啦。"

他走得飞快，赶在第一道闪电之前彻底消失。台北的雨下得凶狠，像是一股再也忍不住的怨愤之气，我们赶到紫藤庐的时候浑身湿透，一人点了一杯热巧克力。那三棵老紫藤树缠住半边落地玻璃窗，大颗大颗雨滴砸在门外石臼里的漂萍叶子上，鲜红色锦鲤在暗沉沉的天空下闪着光。我想到刚才见到亲生爷爷，想到他缩头缩脑说"我也没有办法啦"的样子，实在进入不了这浓郁巧克力味的现实世界。

季风大概觉得我可怜，把话题扯开："这就是紫藤庐啊，好像殷海光当年老在这里。殷海光你知道吧，最早翻译哈耶克那个人。"

我点点头，我怎么也拿了新闻和经济双学位："当然知道，还有《自由中国》那些人，殷海光故居好像就在这附近，我们要不要等会儿去逛逛？"

季风看了看外面的雨，说："明天吧，今天看起来雨停不了，我们打车去吃点好的。"

后来就去了中山北路一段的"青叶"，就着乌鱼子一人喝了一壶清酒，辣炒海瓜子完全不辣，地瓜叶碧绿，浮在清汤上。吃完饭本来应该很快走到地铁，不知道怎么迷了路，绕到林森北路。破旧骑楼下开着卖廉价衣服的小店，我挑了一条199台币的翠羽蓝棉纱围巾，上面印玫红色花朵，我把围巾挂在脖子上，好像真的会在38度的气温下觉得冷。我突然问季风："你说那些东西到底是什么？"

他显然已经琢磨过了："信肯定是你奶奶当年没寄出去的，笔记本里可能是日记？文件袋我看那厚薄也就几张纸，那几个小东西我看得不清楚，但有一个好像是个玉鼻烟壶，应该是当年你家的小摆设，你奶奶一直留着……其实也就这么点东西，想也大概能想到，不会有什么稀奇。"

我点点头："这种故事可能都差不多——想也大概能想到，不会有什么稀奇。"

我们终于上了地铁，列车开得太快，焦虑地想把一切抛在后面，我紧紧攥住季风的白衬衫下摆，好像担心我们会就此走散，再无相聚。

这种故事实在都差不多，想也大概能想到，并没有什么稀奇。

林三民那个时候还叫林中柠，是军统基层组织里的一个小队长。家里几代都开着医馆药馆，他职位虽低，却不缺钱，也从来没有想过升职，这份工作不过是混混日子。只有一次，他隔着几百人见到毛人凤，回来跟方永梅说："喏，鼻梁上有颗黑痣，右眼比左眼大一圈，抿着嘴也不说话，看起来倒是不凶的。"除此之外，林中柠每天早上上茶馆，喝两泡茉莉香茗后再去上班，下午四点下班，又去茶馆再喝两泡，那杯茶还没倒掉，他喜欢茉莉彻底出味，盖碗里沉着红色茶汤。

一九四九年，林中柠一个人去了台湾，方永梅怀着两个月身孕，不敢一路先挤火车再挤船地跟着去。她去火车站送他，做了一玻璃瓶子艾镇特产冷吃牛肉，让他在船上下酒；网兜里另有二十个茶叶蛋，煮蛋的时候加了半瓶子花雕；钱是在他的贴身衣服里又缝了个双层小袋，银元装多了，她就叮嘱林中柠走路要慢点，不然撞出声来会被人发现。

方永梅穿淡紫色软绸长旗袍，还完全没有显怀，头发烫了外翻的卷，戴一对老坑玻璃种的翡翠耳坠，银链子垂到肩上，又穿一脚蹬的黑色羊皮细高跟鞋。走在站台上，没有风也微微晃动，每个人都向她望过去。她自然有点惴惴不安，怕他回来时，赶不上孩子出生，碎碎地说点怨言，又落了眼泪。林中柠不耐烦起来，让她赶紧回去："哭什么哭光天化日的，你也看到了，我是没有办法，你要是有事就去找白墨钎商量商量。家里留给你的钱，你就算花个一百年也是够了，我看最多一年我就能回来，说不定能赶上你生孩子，要是没赶上，生下来不论男女，都叫林梓文。"

后来当然是没有赶上，孩子刚生出来那阵的确还不缺钱，公私合营后也就缺了。方永梅从来没有这么窘迫过，林梓文前几年习惯了每天三杯牛乳，下午还有一盘子核桃酥当点心，睡前如果不哭不闹，能吃一小碗臊子面。生活突然变得精确：一日两顿稀饭，一周有一顿肉菜。他馋得哭，狂热地爱上了吸自己手指。每个人都渴望肥肉，方永梅孤儿寡母，排队买肉的时候总是被欺负，只能割到纯瘦的里脊，熬不出油，怎么做都不香，她走投无路，去找白墨轩商量商量——其实就是借钱。

白墨轩是林中柠的中学同学，已经在艾镇中学当了十五年校长，开始兼着历史老师，兴高采烈备课，给学生们分析建文帝到底跑去哪里；后来自己默默不上了，因为解决不了怎么评价朱元璋。只有多喝了几盅高粱酒，才会轻轻地对身边的人说："死了一亿人啊，真的是死了一亿人啊。"反反复复也就是这句话，好像自己吓住了自己，他其实对一亿并无概念，抗战时说过四万万同胞，那就是四分之一的中国人。

白墨轩也没有钱，但毕竟有份工资，可以让林梓文吃上猪油炒饭，洒几点自家院子里种的小葱。林梓文喜欢他，吃完炒饭油着一张嘴跟他读古诗十九首，"行行重行行，与君生别离。相去万余里，各在天一涯，道路阻且长，会面安可知。"于是他完全不介意自己过了两年，突然变成白梓文，在学校里要被人戳着后脑勺说闲话。方永梅读过书，学校缺老师的时候，她可以帮着上上课，那些纱的绸的真丝的窄身旗袍不敢穿了，夏天一直穿一条靛蓝色竹布的宽身裙子，就是这样，她的裙子也总是比别人的要更蓝一点。她对自己的再嫁很是愧疚，给林中柠写了很多信，但也不知道往哪里寄，有时候夜特别深，她和白墨轩躺床上说话，会把声音压到不能再低："幸亏当时他走了"，"不知道他在那边好不好？"，"也不会更差，他算是有公职的，随便混混日子总是容易的。"说完两个人都缩进被子里，暗夜里有心怦怦跳的声音。

　　后来当然是越来越糟，这也没什么稀奇，那个时候，所有人都是如此。白墨轩从中学校长变成车夫，每天替艾镇的几个社会主义建设工地拉红砖水泥，他一辈子爱干净，又舍不得家里的水，收工前总要在河里洗个冷水澡。十二月河水似冻非冻，浇在身体上嗞的一声，河面下有巴掌大的小鲫鱼半浮在水中，往远处望只有浓白雾气，罩住自己的过往与当下。白墨轩冷到麻木，有时候会疑惑为什么这一切总是不醒。

　　再后来就是越睡越深，彻底魇住。他娶了国民党特务的老婆，理所当然是内奸叛徒和反革命分子，可以用上的罪名太多，人民群众也有点举棋不定，不知道拿他如何是好。抄家之前白墨轩早有预感，和方永梅一起把那些信、自己的日记本和林中柠留下来的几样小玩意，用装糖果的铁盒收起来，埋在老屋院子里。他们挖到大半夜，坑非常深，上面又种上栀子花，正是盛夏，栀子花开得放肆，抄家的人一进屋先掀锅，以为他们都这个时候了还能吃上油焖笋。他们没找到什么通敌的铁证，又不想白来，就把白墨轩的书堆在院子里烧了。书太多了，最上面是朱生豪译的莎士比亚戏剧集，精装硬皮本，他们担心烧不起来，又一时没找到剪刀，是用菜刀剁碎了才丢进书堆里。

　　火不知道为什么那样旺，好像一直燃到天上，白墨轩和方永梅木呆呆站在边上，这件事太过荒谬，一时间谁都不敢相信。等人都走了，白墨轩在橱柜里拿出一册戚本大字的《脂砚斋重评石头记》，坐下来跟方永梅说："中午我边吃饭边看书，不知怎么收拾碗的时候就放柜子里了，他们倒是没想到搜碗柜。"又把书翻到七十七回："我就看到这里，灯姑娘给宝玉说，'可知道天下委屈事也不'。"

方永梅看他像入了魔，想说点什么安慰话，又觉得这实在是无从安慰。两个人默默相对一会儿，白墨轩说："你现在就收拾两件衣服，带着梓文去乡下舅娘家住几天。"等她收拾好了要出门，他靠在门框上突然说："以后你要是见到林中柠，就把东西挖出来给他，给他看看我的日记。"

方永梅模模糊糊知道他想干什么，却还是带孩子去了乡下，她两三天没吃饭，渴极了才喝点米汤，每天早上就站在村口等消息，她隐约知道，却不敢确认的消息。等到第三天傍晚，人终于来了，她一下坐在黄泥地上，边上玉米地里蚱蜢长得半个手掌长，一跳跳到她的头发上，方永梅想："这样也好，他也没有办法。"

垦丁台南台中玩了一圈，我们回到台北，打算痛快睡两天，再把漏掉的夜市都逛完，这就飞回北京。台北一直在下台风雨，天色永远阴沉沉，将亮未亮，我们本打算一觉睡到下午，谁知道早上八点就接到林三民的电话，隔着那么长的电话线，我看见他缩着头说："哎呀，真是不好意思，这么多天也没给你们打个电话……我也没有办法，家里事情太多太忙了，这样好不好，你们今天过来吃饭啦，就在家里吃点便饭。"

他住在温州街一套狭窄的老式公寓里，楼道里没有灯，我们摸黑一路上了五楼，他已经开了门站在那里：还是穿一条大裤衩，上面倒是规规矩矩穿着衬衫，扣子扣到最上面那颗。走进去一时想不通，这个家能有什么事情可以忙？看起来他是一个人住，卫生间里只有一张孤零零的毛巾，硬得可以独自站立，复合木地板翻了边，沾着斑斑油渍。我控制自己不去问他在这边的家庭生活，又找不到任何话题，只好装作欣赏墙上几个大字——"难得糊涂"字写得上不了台面，像是每一笔都努力描黑描粗。我想到奶奶那手颜体字，又想到老屋里永远一尘不染的灰色石砖，觉得这局棋自己早已经把对方将死，赢得太轻易，让我失去了胜负心。

真的是便饭，一大盆子卤肉燥，自己添来拌饭，除此之外只有一个清炒高丽菜，一个丝瓜汤，台湾人的卤肉放了红葱头，我没忍住连吃三碗。林三民没拉着季风陪他喝酒，但一瓶金门高粱已经浅下去一小半，没有像样的下酒菜，他就一直剥着盐水花生。

他渐渐喝得有点茫，自顾自说起话来。

"……我也不知道你奶奶后来过得这么苦，我哪里知道？我也是没有办法嘛，我后来那个女人去年才死，她不高兴我和大陆那边联系的……我就给你奶奶去过两封信，留了个地址电话，她呢也没有回我，我还以为她死了。

　　"……她后来是嫁了白墨轩了嘛，白墨轩后来又死了嘛，这个我是知道的，六十年代有大陆跑过来的人告诉过我，我又不怪她，难道她还怪我？她又不是不知道，我也是没有办法，回不来就是回不来，要不她是怪我当时不带她走？哎呀我也是没有办法，当时她怀着孩子，而且谁想到后面的事……难道我在这边就过了什么好日子？照我说呢，家里那些钱后来反正也是没有了，还不如当时都给了我，那样我怕是现在也有块地……台中你们这次去过了吧，景色蛮好的吧？当年我在绿岛工作，要是稍微有点钱，也在台中买了个院子，你看我现在住五楼，再过两年爬不动了，还不知道怎么办呢……

　　"我这些年也难呢，也没有办法，我们小公务员，被人调来调去，我以前负责看着台大那些反动教授，喏，就是这楼下没多远。殷海光你们知道吧，得看着他，每天站在他家院子外面……喏，你看当年毒蚊子毒蜘蛛咬的疤，还有野猫，凶得很呢，谁容易呢……后来呢，又把我调去景美，景美你们知道吧，怕你们这次是没去，在新北那边。吕秀莲你们总知道吧，当年就关里面的嘛，那边潮得很，你看我腿都伸不直，就是在那边得了关节炎，一下雨就痛得不得了。所以那天见面我得去针灸，不容易呢，干什么都不容易呢……

　　"后来干脆把我调去绿岛，你们都听过《绿岛小夜曲》吧……唱得那么好听，狗屁椰子树的长影，那个小岛，孤零零，盐分又重，其实树都是黄的……也不好混日子的，那些犯人都是知识分子，不听话的呀，不听话常常就会又犯了法，还要押回来的呀。我还得跟着押回来，要帮忙执行枪决的呀，我也怕伤了阴骘的呀，一枪打过去哎呀那血溅的，我手不准，有时候得开两三枪的呀……开始我也睡不着觉，但是我也没有办法，你们说是不是？我有什么办法，我们小职员，没有办法的呢……

"白墨轩的日记我看了的嘛，他也是说自己要是没有办法就要去死了嘛。所以他后来真的去死的嘛，我又不想去死，他留着日记是让我不要怪他把我老婆娶了的嘛，我不怪他，我肯定不怪他，我们都差不多的嘛，一样的嘛，大家都是没有办法，你们说是不是？"

雨声渐渐大起来，有风激烈地吹打窗户，他屋里只有顶头吊着一盏白炽灯，照得万物惨白。我看着眼前这张惨白的脸，眼睛里转动的透明玻璃珠，嘴唇上有乌乌黑气，好像已经死了许久，整个人都扁成一张遗像，却又和爷爷的遗像如此不一样。

大家都没有办法，但他们永远不一样。

沙河涨水

Life by the river

1

　　王林辉偶尔会想念以前在环卫站的工作。副站长，事业编制，工资 2485 元，餐补打在饭卡上，每月 300，不吃可退现金，这样一算，工资就说得上小三千。在这个小城，三千是一根含糊不清的线，划分出一些人，和另一些人。

　　每天清晨七点，单位的金杯车在小区门口接上王林辉，去全面视察沙河镇各大垃圾站。每次都要提前五十米下车，戴上大口罩，几百只绿头苍蝇呼啸而过，奔向前方腐烂的菜渣子、脱了形的塑胶拖鞋以及不敢细看的卫生纸。王林辉三十岁以前喜欢在深夜写诗，总觉得眼前一切是一种让人激动的意象，却一直找不到合适的句子开头，于是他也就渐渐放弃，诗或者其他什么东西。现在他深夜里吃辣炒田螺，下两瓶蓝带，肚子渐渐膨胀，穿雅戈尔西裤衬衫，系金利来皮带，戴一块蓝色玻璃面浪琴。王林辉会在垃圾站二十米外站住，把口罩往后拉紧，对身边的垃圾站站长说："再喷点消毒液嘛，这苍蝇也该杀一杀了，站里每个月批了专款的嘛……
对了，你吃过早饭没有？要不要去吃豆花饭？"

十年如一日，王林辉的早饭一直在白沙河边那家"幺妹
豆花饭"解决，此地距离他视察的最后一个垃圾站开车三分钟。
人还没下车，豆花蘸水新鲜泼辣的味道先猛扑过来，必须是
糍粑海椒，必须要把豆瓣舂碎，窖水必须带点苦味。豆花饭
从一块五一碗涨到五块，门口还是停满车，小城里没什么好
车，奥拓轮胎上糊满黄泥，夏利的前窗玻璃上有一道巨大划痕，
开奇瑞QQ的男人好像是个包工头，付钱的时候扯皮扯脸笑：
"小幺妹，我天天开车来吃碗你的豆花饭哒，油钱都多亏，你
跟我说两句话嘛……要不我们合个影？"

豆花幺妹白点点是王林辉的小姨子，关系比较远的那种
小姨子，按理说一年只能见几次：清明、中秋、冬至、春节。
但是王林辉的老婆白丝丝和白点点从小感情好，他们白家的
女人长得都像：脸上圆嘟嘟两块肉，身子却瘦长，鼻尖微翘，
皮肤瓷白，夏天穿凉鞋，脚踝让人担心地细。王林辉和白丝
丝确定关系后第一次见到点点，她才二十出头，已经卖上了
豆花饭，正扎着蓝花围裙切葱。边上一大木桶豆花蒸出满屋
白气，她转过头来，鼻尖上沾着几点葱花，叫了一声："表姐夫。"
那股气厚实滚烫，王林辉觉得自己快瞎了。

从腊月十九到初八上班，小城一直下雨。是那种细到你
要疑心是错觉的小雨，但下这么多天，到底成了气候，王林

辉今天出门前跟白丝丝说："白沙河看起来是要涨水。"丝丝
正在吃早饭，面前摆五六个碟子，全是剩菜：有一碟里是两
三片香肠，又有一碟里有两根泡鹅笋。她矜持着不说话，往
红苕稀饭里夹了两丝凉拌莴笋。头发昨晚上过卷子，现在从
后面看过去，满头小卷纹丝不动，王林辉知道事情还没过去，
她还在和自己冷战，也就出了门。

　　王林辉没有在家吃早饭，也没有去幺妹豆花庄，他在小
区门口吃了碗粉，肥肠粉红油稠腻，他极其想喝一碗清香微
苦的豆花窨水，连带着想念清晨七点的垃圾站。王林辉开着
刚买的蓝色宝来，把以前的视察路线走了一遍，垃圾站们淋
了二十几天雨，车从五十米外开过依然污水四溅，一只红色
毛皮鞋浸得褪了色，沉静地站在路边。终于开到白沙河，水
果然已经涨了起来，漫过岸边青石板，天色尚暗，幺妹豆花
庄的霓虹灯招牌在水雾中闪着彩光。

　　店里地方小，大部分人还是坐在室外搭的棚子下吃，棚
上铺着天蓝色防水油布，屋檐滴水，慢吞吞绕过大槐树流到
河里。河水不算干净，却也不脏，不时有大个黑背鲤鱼跳出
水面。这种鱼怎么做都是一股土腥味，但年三十晚上总得摆
上一条。今年过年那条几乎没人动，摆在大圆桌中间，距离
每个人都太远，只有白点点站起来，伸出长长的手撬开鱼肚
皮，把凝固的深黄色鱼子吃了。年三十的晚饭怎么吃也吃不完，
饭桌上寒气逼人，所有菜都凉了，凉拌鸡下的红萝卜卷儿浸

透辣椒油，又咸又辣，王林辉夹了两根就吃完一碗饭，白丝丝在边上嘤嘤哭，泪珠让一切变得更加冰凉。

王林辉把车停在白沙河对岸，远远看见白点点，正从大锅里往外舀豆花，还是穿着大年三十那件红色高领毛衣，扎红花围裙，这么隔着水看过去，雨雾里有朵红云。他没有下车，而是立刻掉头，开往白沙镇政府办公室。以前王林辉吃完豆花饭，会走两步到河边，点上一支娇子，那是他每天的第一支烟，烟头扔进白沙河，很久才能沉下去。今天他的第一支烟，则是在镇政府的停车场抽完，垃圾箱就在门口，王林辉偏偏扔在地上，也没有把火踩死，他夹着公文包走进拆迁办公室。

年前年后饭局吃得多，王林辉又胖了五六斤，看起来确凿无疑，像个领导。他今年三十三岁，副科级，被借调到沙河镇拆迁办之前有人找他吹风，说区里像他这样在成都读了重点大学本科的也就几个人，等明年回到环卫站，肯定就直接提科级，不用每天去视察垃圾站，每天来接他上班的车会是一辆帕萨特。

王林辉当时并没有说，我为什么要帕萨特，我自己刚买了辆宝来。

2

沙河镇可能有一半的人姓白，所有人都是所有人的亲戚。五年前王林辉和白丝丝结婚，就在白沙河边摆流水席，稍微远点的亲戚知道碗筷不够，自己背凳子拿着铝制饭盒过来，打两勺饭舀点海带鸡汤坐在河边吃。正是春天，槐树开出小米白花，香气穿过大火爆炒猪下水的味道，从河面蒸腾而上，那场婚礼明明也就吃了两天，却好像永远也不会结束。

幺妹豆花庄为了婚礼休业两天，王林辉塞给白点点四百块，让店里的几个灶头专门负责蒸米饭，蒸好之后装在大木桶里抬出来，直接放在坝子中间。那间老房子的厨房要走到最里面，经过一个小小庭院，院子里种杂色木槿，石头鱼缸里有两尾肿眼泡红金鱼。人人都以为睡莲死了，那年夏天却还是开出两朵花，深紫色花瓣镶白边，一直不肯凋谢。

白家这一支最后一次分家是在一九九八年，白点点一家三口当年吃了点亏，只分到这套和镇上距离最远的破房子，但是据说风水好，白家的祖坟都在后面山上。那些坟地都正对着山下的白沙河，背后是密密竹林，野生毛桃有狭长绿叶，又结出青色小果，一切都是让人眩晕的绿色。清明时白家人上完坟，大家坐在坝子上吃墨绿色的蒿蒿粑，天气还凉，又照例下雨，白点点已经穿着紫色大花的绵绸连衣裙，光脚穿一双黑色中跟鞋，王林辉不敢细看裙子下的小腿。

白点点技校毕业后没有进工厂，破釜沉舟四处找人借了三万块，给老房子刷墙装地砖，屋顶的黑瓦全部换过。一台巨大的石磨就放在坝子里，一家三口在后面另外搭了两间瓦房住下来。白点点的床边有一台破旧的台式电脑，那是白丝丝买了笔记本后淘汰下来的，开机轰隆隆响，但是还能上网。王林辉帮忙把电脑搬进屋子，房间里一股香粉味，他一分钟都不敢多待，立刻退出来在院子里拿根干面喂金鱼。白点点在外面遥遥叫他："表姐夫，出来吃饭，今天给你买了瓶泸州老窖。"

幺妹豆花庄开了一年，三万块就还掉了，人人都有点羡慕，有人微弱地表示过要重新分家。但大家都是亲戚，抬头不见低头见，没人做得出狠事，只是家里过年那儿大吃饭都默认为就在豆花庄里，也不再凑份子。白点点提前两个月就特意去乡下订了一头猪，一只胖嘟嘟的黑山羊系在院子里，大年初三最后一顿现杀吃羊肉汤，略带膻腥味的白雾在老屋里盘旋。山上有零零星星的鞭炮声，从窗口望出去，炸开的纸屑就像下了一场鲜红的雪。屋里不知道谁喝多了，大声说："点点好能干哦，那些司机天天来捧你的场，怕是不只来吃豆花，豆腐也吃得有点高兴哦。"白点点在厨房里做酸辣羊血和爆炒羊肝，没有听到这些。她老早就学会了装作豆花庄里太吵，什么也没法听到。

去年中秋，沙河镇要拆迁的事情开始在豆花庄的饭桌上流转。王林辉刚借调到拆迁办，这算是第一个大项目，大家都有点兴奋，拆迁款都说一家不会低于三十万。这笔钱在城里稍微偏远的地方，也能买套两室两厅，那种小区花园里有健身器材，不用上公共厕所的楼盘。白点点难得从厨房里跑出来，还系着那条蓝花围裙，说："表姐夫，我们这里不拆吧，我不想搬呢，我要卖豆花哒。"

王林辉记不得上一次白点点看着他的眼睛说话是什么时候，他不能控制地把声音软下来："不会，你这里有点偏远，开发商看不上。以后楼建起来了，豆花庄生意肯定更好，你可以提前把价钱涨起来，豆花八块一碗也卖得动。"白点点不好意思笑得那么直接，但眼睛还是弯了："那好，你们喝酒喝慢点，烧什锦还要等一会儿，今天的海参墨鱼都还可以，我买了最好的那种。"

到了冬至，王林辉在饭桌上说，规划改了，白沙河边正好盖一排河景别墅，说是一栋卖一百万，怕卖不出去，先签合同再开始修，但地基这些要先打好。他声音放得轻，怕在厨房里炖补药的白点点听见；又不是太轻，怕白点点听不见，自己还得看着她的眼睛再说一次。白丝丝本来正专心啃着沙河镇著名的麻辣兔头，千辛万苦终于要吃到兔脑花，动作一下停下来："王林辉，你好久晓得这件事的？为什么没有先给我讲？"

王林辉不说话，慢动作夹起两根冷吃牛肉。白丝丝把兔头摔在桌子上，起身去了厨房，帮着白点点把补药端出来。汤里黄芩党参放太多，苦得不能下口，整锅猪蹄只吃掉一小半，收拾的时候白点点想都没想，倒进门口的潲水缸。平日她节约得厉害，买超过一百块的裙子都要拉着白丝丝去店里试三四次，白丝丝不耐烦，坐在店门口抱怨："你是要给自己存好多嫁妆才够嘛？"。

白点点没有男朋友，也许曾经有过，这几年她整日暴露在豆花庄里，除了上菜的时候被人摸过两次手，白丝丝疑心她没有和男人有过身体接触。相过几次亲，但是她不喜欢做生意的，更不能接受农村户口。白丝丝说，王林辉你不是有几个大学同学在城里上班吗，看看有没有合适的介绍给点点，要长得斯文点的，我看点点喜欢这种。王林辉空泛地答应了，从来没有在同学聚会上提起过，自己有一个笑起来眼睛弯弯的小姨子。

那天的冬至饭早早散了，麻将和斗地主都没有凑够人，王林辉和白丝丝出门的时候，白点点站在门槛上，手里拿一块抹布，说："表姐夫，我不搬。"今年冬天不够冷，白点点只穿了一件柠檬黄薄毛衣，夜晚有风，白沙河水声呜呜，岸边有人在烧纸钱，香烛味在漆黑的地方格外浓郁，好像整个世界是一个巨大的灵堂。

王林辉把车都启动了，才又摇下窗子，对还站在门槛上的白点点说："我想想办法。"他当然知道，自己没有办法。

3

腊月二十五，白丝丝和王林辉把这场架吵开了。她从白点点那里拎回来两块腊肉，在镇上听说元宵一过就必须签拆迁补偿合同，到家饭都没煮就吵起来，开始很凶，慢慢变成央求，最后一边煮腊肉一边哭了。每年的腊肉都是白点点自己熏，用山上捡回来的柏树枝和干竹叶，平时就挂在灶台上，让他们随时去取。白丝丝切了一小块肥肉尝味道，今年的腊肉做得好，是乡下亲戚养的土猪，八肥二瘦，切下来块块带皮，白丝丝的哭声混杂油腻肉香，这是一顿不能下咽的晚饭。

"王林辉你给我想想看，要是豆花庄拆了，你让点点干什么去？她又没有什么文凭特长，除了推豆花点豆花调窖水什么都不会……这几年好不容易存了点钱，再过两年就能在城里买套房子了，说不定还可以多请个人帮忙……你给我少说那些！少说拆迁了就能住新房子，我晓得那套老房子破得很，你以为她想住？上公共厕所要走十分钟，一个漂亮幺妹每天去倒尿桶，讲起来都有人要笑，男朋友也不好找……你倒是说得轻松，让她租套房子再开豆花庄，现在这个物价，除了房租，她还有什么利润，她还要不要存钱以后结婚生娃儿？……你没办法？你到底试过没有就说没办法？这几个月你找领导反映过情况没有，你是不是不敢找，说嘛，你是不是不敢找，你是不是想升正科级想疯了嘛？……王林辉我认识你的时候你是个大学生样子哒，还喜欢去买书哒，你还让我读北岛的诗哒，现在你就只想当官了哇，你是要当好大的官嘛？少把借口扯我身上来，你以为我盼着你升多高，我盼着这件事当时为什么要找你，当时不就有人给我介绍副市长的儿子哇？点点这些年对我们好不好你心里头晓得，你不心虚哇，这块腊肉你好意思吃下去哇？"

王林辉那天晚上只吃了腊肉，半盘子肥肉两碗白饭下去，腻得他饭后泡了一壶浓茶。今年的新茶还没有下来，这是去年有人送来的太平猴魁，巨大叶片，在玻璃高杯里泡开了不得舒展，憋屈地缩成一团，像一个年近中年的男人。他难得没有出门，也没有打开迅雷看看找部电影，而是坐在书房里翻丌前段时间买的《保罗·策兰诗文选》。大学时的诗社拉了一个微信群，大部分人都在群里装死，只有一个人还坚持不懈给他们发诗，有个晚上王林辉喝多了酒，半夜酒醒刷手机，看到那人十二点发了保罗·策兰的《我是这第一个》："我是第一个喝蓝色的人，它仍在寻找它的眼睛……"第二天他在亚马逊上买了这本书，为了免运费另外凑了一套《鬼吹灯》。

白丝丝削了个苹果，把核都剔了送到书房来。吃饭前他已经答应白丝丝，这两天就去找领导谈一谈：白沙河边那么宽，不一定要拆到幺妹豆花庄嘛，稍微隔个五十米再开始建河景别墅有什么不可以？到时候住别墅的人来吃豆花，怕是涨到十二块一碗也没问题。想到这些王林辉振奋起来，觉得这件事完全合情合理，领导简直找不到理由拒绝。白丝丝过了一会儿又来书房，捧着一碗现包的抄手，王林辉正读到书里的《催眠曲》："远处在黑暗的田野上／我的星辰将我在你漫游的血液里上升／不再有我们经历过的疼痛／猜测，什么在暮色里慢慢安静……现在，如果只是睫毛拦住了时间／生命就因此认识了黑暗……亲爱的，合上你发亮的眼睛／你闪光的嘴唇是我的整个生命。"一股无主柔情从红油滚汤里溢出来，王林辉别无他法，只能多吃。

那股柔情第二天也就散了，早上起床王林辉口干舌燥，觉得昨晚的腊肉和抄手都太咸，他猛喝一口那杯泡过夜的太平猴魁，茶汁苦涩，是比豆花窖水更浓烈的味道。年前那几天王林辉还是没有去找领导，为这个白丝丝在年三十的饭桌上又哭了一轮；白点点好像忙得不得了，整场年夜饭就坐下来吃了那么几筷子鱼子。她不在的时候，另外的人小声讨论，拆迁补偿款不知道今年夏天能不能到账？豆花庄里也就能坐下这么三十几个人，却像隔了整整一条涨水时分的白沙河，河水凶猛，淹没眼前一切。

初九进办公室是八点二十七，他特意看了表。王林辉喜欢手表，但他没有什么钱，这块浪琴是上一次单位组织去香港，他在海港城买的。一万出头，算是下了一阵子决心，深蓝色皮质表带已经磨出毛边，和宝蓝色玻璃表面连接的位置也渐渐松掉，他还是每天戴着。一直说得找个时间去修一修，但是小城里没有浪琴专卖店，他又不放心交给路边的修表匠。王林辉习惯性看表，下意识会记住每一个时间：八点四十王林辉听见领导打开边上的办公室门，九点二十他估计领导在办公室里吃完了打包的排骨面，上过厕所，又泡上一杯金骏眉，正在看今天的日报。他打算九点三十五过去敲门，但是九点三十二他收到了白点点的短信。

王林辉是中午十二点十五到的幺妹豆花庄，发现门口贴着"老板有事休业一天"，木门大开，推门进去冷锅冷灶，空无一人。喊了两声白点点才从里面房间出来，神情肃穆。外面滴水成冰，她还只穿着一条黑色薄呢连衣裙，戴一根长长的假珍珠项链，绕了几圈垂在胸前，深灰色丝袜下面是咖啡色过膝长靴，侧面有数不清的金色扣子直直排上去。王林辉忍不住想，脱这双靴子岂不是要花十五分钟。

没过多久王林辉就知道，脱下这双靴子只需要五秒钟，因为另外一侧有一拉到底的拉链，白点点几乎已经躺在了床上，她轻轻地说："表姐夫，你帮我拉一下拉链。"王林辉又看了一下时间，那时正是十二点三十七。

4

幺妹豆花庄拆于端午节前一天。那天暴雨如注，厚厚的水雾笼住灰色世界，一台鲜黄色中型推土机轻轻往前挪了几步，那套烂朽朽的房子就轰然倒下。雨中万物湿润，甚至没有激起一点灰尘，只有墙上新刷不久的石灰，和雨水混在一起，淌成一条污浊的白河。

沙河镇上的白家人都来看了，像是白沙河边正在放露天电影，男男女女都穿塑胶拖鞋，徒劳地打着巨大雨伞。雨声太大，连推土机都像打开了静音模式，却还是可以听到有人扯着嗓子对身边的人说，点点有财运，分到这套房子，先是开几年豆花庄赚了大钱，现在拿的拆迁款据说比别人家还要多几万，在城里头怕是够买一套三居室。

白点点和白丝丝站在一起，穿着一模一样的夹脚高跟凉拖鞋，黑色真皮鞋面上镶彩色水钻。鞋子是白丝丝上个月淘宝买的，一双四百多，她跟王林辉说，都是你对点点的事情不上心，你看，过完年她都不和我们来往了，你明天上班把这双鞋子送过去。第二天正中午，王林辉拿着鞋盒子去了幺妹豆花庄，店里挤挤挨挨坐满人，白点点正在舀豆花，王林辉说："丝丝给你买的凉鞋，喊你有空过家里来吃宵夜，她炒小龙虾给你吃，现在小龙虾也肥了。"白点点抬头擦擦汗，没有说话。王林辉走得快，回到办公室后没有吃午饭，把门反锁睡了个午觉，他以为自己会梦魇，但是并没有，踏踏实实睡到两点半。起身去卫生间洗脸，很久没有这样认真照过镜子，王林辉看见脸上多出一圈肥肉，挤满所有轮廓，如果在街上骤然当面遇到，他不觉得能认出自己。

王林辉今天作为拆迁办工作人员，远远站在另外一边，几个闪电毫无征兆打下来，四周骤然明亮，王林辉看见白点点的脸，涂着玫红色唇膏，越发衬出脸色苍白。他不能遏止想到那个中午：白点点说，"表姐夫，我晓得你喜欢我，你帮帮我，以后我不找男朋友，你什么时候想过来，就给我发个短信。"然后她合上眼睛，嘴唇灼灼闪光，王林辉看不清是因为窗帘透进的光，还是因为她画着唇彩，他只是发着抖，俯身下去，点点的睫毛拦住了时间，他没有神经质地去看现在到底几点。

王林辉的领导待了几分钟就走了，他等会儿在市里有会，为了给日报拍照又必须出现一下。穿好皮鞋塞进胶筒雨靴里，披着雨衣还有人打伞，这样衬衫还是全湿透了，看起来心情不好。领导总是心情不好，就像王林辉正月十五去找他谈的时候，他听了五分钟，就看看表说："我今天有个饭局，你也下班吧，早点回家过元宵。"王林辉于是回家过元宵，白丝丝炒了一份鲜锅兔，冬天嫩姜贵到五十一斤，这么一份得用二两；饭后一人两个芝麻汤圆，姜丝太辣，汤圆太甜，这个年就这样过去了。

　　王林辉没有再在领导面前提起过这件事，他也没有再单
独见到过白点点，他以为点点会问他到底事情怎么样，但是
并没有，原来所有设想都会一一落空。清明上坟的时候他看
到点点，瘦了一圈，本来圆乎乎的脸上显出轮廓，下巴中间
有一道沟，眼睛显得更大，只是眼下有乌青眼圈。如果在街
上骤然遇到，他也不觉得自己能认出，这是赤裸时拥抱过的
白点点。

　　后来大家也就散了。那堆废墟说是过两天才能收拾好，
有几个人顶着大雨在里面寻找杂物，翻出一条红色连衣裙，
又有人找到一口铁砂锅。白丝丝走过来让王林辉先开车送她
去单位，他们转身和白点点说再见，又是一个闪电猛打下来，
探照灯一般照出那条石灰淌成的白河，有块宝蓝色玻璃的手
表扯住一双深灰色丝袜，顺着污水，慢慢往白沙河流去。

　　白沙河当然已经涨水，它漫过河岸青苔，又漫过王林辉
和白丝丝的小腿，最后漫过那块蓝色浪琴，白沙河看见了一切。

永生

Live, life, love

1

叶萧萧说："我是不打算死的了，你怎么样？"

她还穿着整套内衣，纯黑蕾丝，前扣型，扣子是一朵银质玫瑰；段飞却已经脱掉内裤，秋夜冷寒，又还没有开始供暖，如果不能尽快进入被子，段飞疑心自己会软下去。他不想这样眼睁睁看着它软下去，所以他说："我也是，谁要死啊。"

叶萧萧这才打开玫瑰，她渐渐靠近段飞，又在躺下来前关掉顶灯。皮肤黏住皮肤，身体进入身体，温度开始上行，后来他们都觉得热，踢掉被子，又开了一点窗。月光下段飞看到叶萧萧的脸，他涌上来路不明的荷尔蒙，或者柔情，他说："萧萧，我爱你，我们应该结婚，你愿不愿意和我结婚？"

这是故事的开端：爱情、性、规划、承诺，涵盖万物的永生。

2

叶萧萧说："小时候我没想过，我们还真的能到这一天。"

段飞说："我倒是想过的，那样我外婆就不会死。我常常梦到外婆，我给你说过没有？外婆对我很好，冬天总给我炸酥排骨。"

叶萧萧说："你好像说过，下次我也做给你吃，酥排骨我也做得好，一定要撒一点点青花椒……那你有没有希望过，你父母也不会死？"

他想了想，说："我不知道。"段飞的父母五年前遇上空难，留下两套三环内的房子。他们卖掉房子，于是有了这笔钱，可以选择永生。父母不死，他们就得死去，早或者迟。整件事情都非常巧合，但巧合不见得总是悲剧。

钱很重要。钱多一点，就可以停留在四十岁，但不能早于四十岁；钱少一点，五十岁，六十岁，以十年为单位往下类推。叶萧萧见过报道，有人花了巨款，一直停在一百岁，动弹不得，瘫在床上，三餐用针管打入，有什么关系呢？他还活着，活着意味一切，现在时间可以停住，也许再熬五十年，它就能倒转。

永生有点代价，不只是钱的代价。得放弃生育，这很公平，总不能一直活着，又一直生。

段飞问："那男人怎么算？"

叶萧萧说："跟女人一样，得打个针，打了之后就没有生育能力。"

"那以前的精子呢，已经射出去的怎么办？"

"要先查 DNA 库，已经有孩子的不能选永生。"

"万一现在选了，以后离婚又再婚却想生了怎么办？"

"选了永生的，不能离婚。"

"你怎么什么都知道？"

"我研究过，你忘了，我是文学法学双学位。"

他们在去民政局登记结婚的路上。段飞左手开车，右手握住叶萧萧，这是春天，三环中间的隔离带上缠绕着粉红粉黄的月季花。车流缓慢，但他们都不着急，风还带一点寒气，他们却开了窗，花粉和空气拂过皮肤，让一切有痛痒快意。

排了一阵才轮到他们，前面那一对为是不是选永生争论不休，这让他们把手握得更紧。同居了大半年，剩下的钱不多，房子买在遥远郊区，两个人都在家上班，整日整日不出门。段飞写程序，叶萧萧为一个APP写名著的精缩版，不管什么书，哪怕是《战争与和平》，也得缩写到两万字以内，先拿一笔稿费，再根据阅读量分钱。最近她正在缩写波伏娃的《第二性》，有时候她会对段飞说："真想当个男人。"

"为什么？"

"也不为什么，做男人总是容易一点。你看波伏娃，她算是做到女人的极致了吧，其实也就是做个男人。"

"波伏娃是谁？"

"没有谁，一个法国女人。"

每隔半个月，需要交代工作，他们尽量安排在同一天，一起进城，再一起回来。小区再往前走一段有一条河，段飞把车停在河堤泥路上，然后打开天窗，岸边有高大白杨，月光明亮，在水面投下树影，那影子无限地长，从这一岸抵达那一岸。

段飞问："白杨能活多久？"

"不知道，一百年？两百年？最多两百年。"

"那我们能看着它死。"

"没关系，我们再种一批。"

段飞想问，两百年后这个世界上还有没有白杨？但他感到胆怯，还好叶萧萧总有一种让人忘记胆怯的坚定，段飞想，她应该是对，她必须是对的。

婚姻登记处坐着一个胖胖的女人，看了他们递交上来的"永生申请表"，上面粘贴缴费发票，露出艳羡神情，说："你们这么年轻，就这么有钱了。"

段飞装作低头阅读刚发的《永生手册》，叶萧萧说："也就是凑巧有这笔钱。"

女人给他们的表盖章，叹气说："本来我和老公也想选的，再存二十年也差不多够了……但我突然怀了孕。"她摸摸肚子，叶萧萧这才知道那肚子不是因为胖。

"其实可以打掉。"

"但我们都是基督徒。"

"不是死后才会下地狱？反正也不会死。"

女人办好手续，递给他们结婚证，说："不是这样说的，没有这么容易，哪里有这么容易……你们等等，我去仓库拿药。"

五分钟也就回来了，拿着两瓶小小针药，标签上贴着他们的名字，后面是身份证号，两个人反复检查那五个正楷字：叶萧萧。段飞。

段飞问："就是这样？"

女人说："是啊，就是这样，拿回去随便找个社区医院打进去就行，上面标着有效期，你们是选的四十岁吧？那四十岁以前都行。"

"然后呢？"

女人耸耸肩："……不知道，然后就一直活着吧。"她的肚子顶住抽屉，看起来有点滑稽。

他们去一家意大利餐厅庆祝，薄底比萨上铺满生火腿和芝麻菜，另点了一盘火腿配蜜瓜。叶萧萧又拿出药瓶，透明玻璃里晃动蓝色液体，像小时候装隐形眼镜的瓶子，她说："我们什么时候去打？"

段飞已经闷声喝了半瓶白葡萄酒，愣了一会儿才又回到当下世界："不是说四十岁以前打都行吗？我们才三十五。"

"还是早点打好，万一到时候申请的人太多，政策又变了……你也知道，我们这个地方，政策总会有变化……"

恋爱不久，段飞第一次去叶萧萧家过夜，这才看到她的素颜，她平日里总是白领打扮：眼睫毛永远上卷，戴琥珀色隐形眼镜。卸妆后眼睛小了一些，脸色苍白，鼻翼上有点点雀斑；卷发用蓝色发带束在头顶，穿短裤背心。他笑着说："叶萧萧，你现在看上去，倒像你的亲妹妹。"

叶萧萧本来在翻书，她最近要缩写一本中国小说，书名里不知道是有石榴，还是樱桃，她沉默半晌，才说："我以前有个妹妹。"

"以前？"

"没生下来。我妈去乡下东躲西藏了一阵……后来六个月了，隔着肚皮打了针，说是摸得很准，正好打在头顶上。"

"你怎么知道是个妹妹？"

"我妈说的，已经七七八八长全了，她看到了。"

"你是不是想要个妹妹？"

叶萧萧又翻开那本书，语气平淡："不，我不想。家里太小了，我一直睡在那种把阳台封起来搭成的小房间里，床是特制的，只有 70 厘米；阳台朝西，夏天我就在上面做作业，背对着外面，所以我的背特别黑……但我也不想妹妹死掉，后来妈妈一直不开心，她对我也不大好，有时候我觉得她恨我，给我梳辫子会死命扯我的头发……大概觉得对我太好，就对不起妹妹。"

段飞走过去握住她的手，说："以后我们也生个女孩儿。不，生两个。我们的房子够大。"

叶萧萧抬头看他，笃定地说："但我不要生孩子，我没有跟你说过吗？我只想自己活着，一直活着。"

3

针药打进去只需要十秒，有些酸楚痛感，像毒虫叮咬。出社区医院之后，段飞问："以后如果我们真的被毒蛇咬了会怎么样？"

"会痛，会留伤疤，但是不会死。"

"出车祸呢？"

"会痛，可能会压断骨头，可能会缺胳膊少腿，但是不会死。"

"到底怎么做到的？"

他们已经上了车，叶萧萧系上安全带又解开，她说："不知道，好像类似于关掉了你身体里的某个开关。"

"我们现在已经被关上了？"

"应该是到四十岁才彻底关上，我们现在……也就是不会死，但还会再往下老五年。"

"彻底关上的时候会有什么感觉？"

"不知道，也许会听到'咔哒'一声。"

他们都不说话了。段飞按照导航，开上一条陌生小路，两旁萧索，冬天的枯黄破败尚未完全褪去，却已开出零星明黄花朵。他们听郭德纲的指示不断进入更小的小路，穿过干涸的河道，在一个三岔路口拐错两次，反复调头后终于再次前进，又经过一个包裹着巨大银色布料的建筑物，似乎是某个学校为了防御雾霾特意设计的罩子，终于看到前方爬满藤蔓的红砖墙，叶萧萧说："到了。"

方晴在门口等他们，这个天气，她已经只穿一件衬衫，牛仔裤挽起来，露出脚踝，拿一支烟。上车后她指导段飞左右乱拐了几次，最后停在一栋木屋的草坪前。小区里不过十几栋木屋，却修了巨大花园，园中有湖，湖心漂着一艘白色木船，有人装模作样在船上钓鱼。木屋前后种树，草坪不怎么整齐，杂开各色野花，方晴带他们走厨房后门进去，指着门外开白花的大树说："这棵结出的红李子又大又甜，七月就熟了，那边还有枇杷和青梅。"

木屋里怕有四百平方，还没有布置好家具，说话尚有回声。叶萧萧说："就是远了一点，卖多少钱？"

方晴带他们到屋内唯一一组沙发前坐下来，说："租的，整个小区都是一个老板买了宅基地自建，他也不卖，自己就住湖边那栋。"她指着窗外，湖水对面恍惚有一条大狗，正奋力朝这边游来。

"一个月多少钱？"

"一年三十万。"

"真不便宜……这小区是不错，但你还是应该买个房子，不然这么付房租，卖房的钱二三十年也就没了，何况房租还会涨……你的钱再加一点，也能付个郊区别墅的首付吧？"

方晴耸耸肩："那就过三十年再说吧……三十年，可能我已经死了，人如果没有永生的保证，其实很容易死的。"

方晴是叶萧萧童年时的朋友，三十年里她们经历了比情侣更复杂的分分合合，最后终于把友情稳定下来。两人互相认定对方为最好的朋友，看起来却也不过如此，叶萧萧从不和方晴说真正的心事，而方晴，至今没有带给他们看过自己的任何一任男朋友。

叶萧萧对段飞说："女人的关系是这样的……非常精密复杂，很少有例外……你们男人大概不一样，真想做个男人。"

这可能是叶萧萧对一切她不想应付的烦恼的总结：真想做个男人。

方晴在国外读了几年书，回北京后开始做律师，先在一个涉外大所，挣了一些钱，然后辞职挂在一个小所里，有一搭没一搭地接接案子。她本来住在东直门，去年把那套两居室卖了，叶萧萧以为她也是想申请永生，但方晴说，她只是想住得更大一点，门前有花园，种几棵果树，养两只猫，也许再养一条狗。

　　方晴带他们四处看了看，房子里卫生间就有五六个，二楼更是空荡，主卧里只放了一张大床，墙上挂一幅巨大黑白人像，画一个上了年纪的女人，花白头发，侧面凌厉，正在抽烟。

　　叶萧萧说："咦，这是阿伦特？"

　　方晴点点头："上次去纽约，在下城一家书店偶然买到的。"

　　"我怎么从来没有听你说过，原来你喜欢阿伦特。"

　　"哪个女人不喜欢阿伦特？"

　　叶萧萧想了想："为什么？是不是因为她不怎么像女人。"

　　"不是，是因为她的确是女人，却从来不为这件事感到焦虑。"

　　段飞是理科生，平日最深奥不过读两本黄仁宇，听不懂她们的话题，只觉得闷，打断说："晚上我们吃什么？这边看起来也没有外卖。"

　　方晴带他们下楼，厨房台面上杂七杂八堆着塑料袋，房间内弥漫海水腥味，清新微咸，无端端让人高兴。叶萧萧这才发现，在确凿无疑永生的这天，她也并没有很高兴。

　　方晴围上格子围裙，说："你们要不出去逛逛，晚上吃我做的西班牙海鲜饭。"

　　后来两个人都没有出去，不过坐在沙发上刷手机，这边信号不稳，时常出现长久停顿，大家就一起等着那停顿过去。好像快下雨了，还是别出门，他们互相说。但其实只是天色稍阴，春天，北京一共都下不了几场雨。他们是去年夏天在一起，在一场暴雨之后，段飞给叶萧萧发了表白微信，她当时正和方晴吃饭，收到后不动声色，一句未提，几个小时后她一个人回到家里，才给段飞打了电话。

段飞后来想过，如果当时叶萧萧不打这个电话，大概也没有什么不好。

小区过分寂静，听得见风吹过水面，厨房里传出各类贝壳撞击锅底的声音，后来又传出藏红花的浓郁香味，让沉默更显清晰。再过一个小时，方晴在里面远远叫道："可以吃饭了！"起身的时候，两个人都松了一口气。

海鲜饭让人讶异地美味，青口和蛤蜊都吐干净沙，鱿鱼脆甜，米饭吸足汤汁，每个人都吃了一盘，又添一盘。和每一次见面一样，他们在饭桌上聊一些与己无关的事情，新闻、书或者电影。

叶萧萧说到最近看的一部文艺片，"在贵州拍的，那小镇和我们小时候住的地方一模一样，有一条河，你记得吧？就是艾镇，得坐五分钟船，到对岸去上学，镇上很脏，垃圾就水淋水滴地堆在路边，但因为长满植物，看起来好像又没有那么脏……故事？也没什么故事。就讲一个人，在小镇上同时遇到过去和未来，讲那些他悔恨而没有办法改变的事情……其实也没什么意思，说到底谁不知道呢。"

方晴则又点了一支烟，她刚从欧洲回来，给他们讲封锁的边境，"五米高的电网，但还是有难民爬进来，全身穿防电服，衣服质量不过关，经常漏电，电死的尸体都堆在下面，倒是方便后面的人爬得更高。很多人带着孩子，孩子不好穿衣服，就用带子绑在大人身上，外面再罩上防电服，有些难民翻过去才发现，孩子已经憋死了，只能就扔在那里，大人继续往前走……"

叶萧萧皱皱眉头："都这样的人了，还生什么孩子，神经病。"

方晴说："跟这些有什么关系？"

"你不是喜欢阿伦特，她也没有生孩子。"

"她不生没什么不好，生了的又有什么不对？"

"把孩子憋死没什么不对？"

"那是不幸，不是不对。"

大家都沉默了，海鲜饭吃到最后也觉得恶心，大概因为橄榄油都汪在盘底。叶萧萧剩了一点饭，自己去倒柠檬茶，装作无意地说："我们前几天去领了证。"

方晴愣了愣："那我要不要去开瓶酒？我有很好的西班牙白酒。"

"不用了，等会儿段飞还得开车……我们也把针打了，就今天打的。"

"哦，原来是打针啊，我一直以为是定期吃药，像《天龙八部》里天山童姥给人吃的那种，叫什么来着……不过还是打针好，一劳永逸。"

段飞最熟金庸，说："天山童姥那不是药，叫生死符，其实就是水。"

最早决定选择永生，他们也跟方晴提过一次，在她东直门的房子里。那是酒店式公寓，配好装修家具，方晴只买了几个碗盘，一个马克杯，他们只能用一次性纸杯喝咖啡，听到之后方晴没什么反应："哦，那也挺好，只要你们高兴。"

叶萧萧说："你也可以，你反正有这套房子。"

"但我并不想一直活着。"

"为什么？"

"还得永远工作，养活自己。你也知道吧，选了永生，就不能参加养老保险。"

"不养活自己也不会死，反正最后可以什么都不吃。"

"总得挣钱买书、看电影、旅游、穿漂亮衣服、付房租房贷，否则一直活着干什么？裸体坐在天桥底下刷手机？那也得出流量费。"

叶萧萧叹口气："方晴，和你说话真难。"

方晴也叹气："活着就是难的呀，不敢想象自己还不能死……叶萧萧，你晚上想吃什么？你现在还得靠吃东西活着吧？"

那天晚上回家，叶萧萧对段飞说："原来方晴真的没有男人。"

"你怎么知道？"

"她家没有男人东西，漱口杯都只有一个。"

"可能她去别人家里过夜。"

"方晴不会去别人家里过夜。"

"你怎么知道？"

"因为我也不会去别人家里过夜。"

段飞这才发现，真的，住在一起之前，叶萧萧从来没有去过他家。他们讨论永生那一晚，住在叶萧萧朝阳北路的房子里，小区离地铁站还得走二十分钟，房间破旧，房租却不便宜，叶萧萧说：“这个小区里树多，还有个池塘。”他们做完爱，下楼走了一圈，叶子将落未落，树影已略显稀疏，他们在池塘边坐下来，灌木丛里藏着流浪猫闪烁的眼睛。段飞吹了一会儿风，才觉得头脑清明，想起他们刚刚决定要结婚。

那天吃完海鲜饭也就走了，方晴送他们上车，天已经黑尽，门前没有路灯，段飞却从后视镜里看到她猫一样的眼睛，点亮路旁星星野花。回到家中后隔了一段时间，他们想起来从今以后都不用戴安全套，这才决定做爱，他脱光衣服，进入叶萧萧时，那双眼睛还没有从视网膜里熄灭，像一团不知道要烧向哪里的火，瞬间拂过一切，徒留灰烬。

4

到了五月，段飞进入一家创业公司做联合创始人。公司

似乎是在线卖各类合同模板，他对这些不大懂，还是埋头写
程序，只是拿比以前高三倍的薪水，以及一笔不知道什么时
候能兑现的期权。新工作必须要去望京坐班，他每天六点出门，
以躲开早高峰，晚上又十点回家，以躲开晚高峰。段飞研究
生毕业后就没有过固定的上下班时间，本来以为这种生活会
不大容易适应，但并没有。他每晚睡死过去，五点半睁眼即起，
烤两片面包涂厚厚黄油，喝一杯胶囊咖啡，再冲一个澡，他
前所未有地想一直这么活下去。

　　叶萧萧有些不满，从同居开始，他们很少分开超过四个
小时，因为两个人各自在公司开周会的时间大概是四个小时。
除此之外，他们二十四小时加二十四小时地在一起，在家中
各自占据一个朝南房间，两个人不怎么说话，但隔着墙壁，
又明确感受到对方的存在。现在叶萧萧每天晚上等着给他煮
面当夜宵，天渐渐热了，他总在露台上吃面，那里只装着一
盏壁灯，昏黄灯光下，她发现段飞瘦了一些，脸颊有下凹阴影，
却意外显得英俊，像凭空把她熟悉的男人一键美颜。她也不
好意思抱怨，想到要一直这么活着，他们想多存点钱，尽快
买一套好房子，就此安定下来，一种海枯石烂的安定。其实
房子并不能海枯石烂，北京的房子，二十年就破旧到不能入住。

　　她对段飞说："方晴那种就不错，是不是？不要租，我们
找一套能买的，你上班走高速，其实和现在也差不多。"北京
的别墅非常贵，但他们现在已经注射永生，理论上可以降低

首付，申请很长期限的贷款，也许一百年？然而房子产权依然只有七十年，永生也没有改变这件事，永生没来得及改变很多事，大家都猝不及防，迎来了今天。

叶萧萧对未来举棋不定，有时候她说："没关系，以后各种政策会慢慢跟上的，总要解决的，不可能一直这样。"有时候又说："谁知道，在这里……什么都说不定。"

叶萧萧五月底满三十六岁，本命年，按理说永生后并没有什么真正可担心的，但她还是早早买了半打红内裤，"不死也会有很多磨难……方晴说得对，活着就是难的……能防一点是一点"，她对段飞说。生日那天他们订了龙虾自助，他们都不怎么爱吃龙虾，但那家最贵。

段飞已经迟到了一会儿，却还等了四十分钟叶萧萧才出现，穿白色真丝连衣裙，隐约能看到红色内裤。她先去拿了龙虾，闷头吃了两只后，才开口说："我刚才去医院了。"

"你哪里不舒服？昨天不还好好的？"

"没有不舒服，就是我洗完澡穿衣服才想起来，我两个月没有来例假了。一直穿着红内裤，把这件事给忘了。"

段飞想了一会儿才明白什么意思："那医生说是怎么回事？是不是病了？"

叶萧萧又剥开一个龙虾，虾头满黄，她一口咬下去，说："不是病了，我怀孕了。"

整个房间明明嘈杂，却突然静下来，段飞喝了一口酒，说：

"……怎么会……不是说打了针就……什么时候？"

"我也不知道怎么会，下午还做了 B 超，六周加五天，好像就是我们打针那个晚上。"

段飞记得那个晚上：方晴猫一样闪烁的眼睛，窗外同样闪烁的赤色火星，进入叶萧萧时让人战栗的诱惑和秘密。他很久没有这样激动过，汗水浸透床单，小腿几乎抽筋，叶萧萧问他："是不是永生特别高兴？"

他裸着身体去冲澡，说："可能是，哦，不，当然是，以后我们都不用戴套了，多好。"

那个晚上之后，一切又回到有条不紊的轨道上来。他们互相熟悉身体，也知道怎样在八分钟内让对方快乐，性爱依然不错，但也没有再看见过什么星星。段飞偶尔去看方晴的朋友圈，但她很少更新，他们没有再见过面，叶萧萧又出去和她吃过两次饭，她说："女人有只和女人说的话，虽然我和方晴也没说什么……何况你去也无聊，是不是？"他只能说："是，上班太累了，我不想去。"

段飞想了许久，才问："那我们该怎么办？那个针……是不是算失效了？如果把孩子打掉……"

叶萧萧低头继续吃龙虾，说："等我再问问……你要不要看看这个。"她从包里拿出一张 B 超单，背景模糊，上面有一坨扇形阴影，阴影上有一个椭圆小洞，隐约能看见当中米粒大的白点，下面写着："宫内早孕活胎，宫内可见胎芽长 0.7cm，胎心可见。"

段飞看了一眼，又快速移开眼睛，说："我明天必须去公司开会，只能你去问了。"

其实也不知道问哪里，哪里都说不归他们管，叶萧萧打了整日电话，连药监局和计生委都试过了，对方听起来都比她更茫然。最后打了 12345 市长投诉热线，有一次小区电梯坏了，业主们联合起来打 12345，第二天倒是真的来了人。她和接线员颇解释了一阵，对方才勉强弄明白整件事："叶女士，我重复一下您的投诉，您说自己已注射永生针剂，按理应当自动失去生育能力，但您却意外怀孕了，整件事情是不是这样？那您的诉求是什么呢？是希望获得赔偿？还是别的什么？"

叶萧萧顿了顿，她这才意识到，自己应当有个"诉求"，最后她说："我就希望先有人给我解释一下，这到底是怎么回事。"

段飞那天半夜回家，还是坐在露台上吃面，叶萧萧今天做了嫩姜牛肉丝，给他剩了半碗拌面。段飞吃了几筷子，才想起来问："那件事问得怎么样？"

叶萧萧拿出一板药片，就着白水吃了一片，说："还没怎么样，打了市长热线，说七十二小时给我答复。"

段飞问："你在吃什么药？"

"叶酸，昨天医生开的。"

"吃这个干什么？"

"防止胎儿神经管畸形。"

段飞并不明白这到底什么意思，但这制止了他接下来要问的问题："我们要不要把孩子打掉？"他想，这不是一个合适的时机，也许永远不再有合适的时机。

拌面吃到最后又辣又热，不过五月初，空气中已有闷闷火气，窗外工地彻夜施工，说是要赶在明年建起一座高级商场。打桩机每撞击一次地面，黑夜中就有火星散落，像随时准备焚烧一切。段飞吃完后点了一支烟，这是他唯一的不良嗜好，以前抽得不凶，这几个月加了量，他解释过这件事："最近工作太累了。"叶萧萧从来没有劝过他戒烟，有时候还会跟着抽半支，但今天她立刻去了卧室，且关上门。燥热夏夜中一支烟走得比想象中更快，他又点了一支。

叶萧萧有一次说过，中学时是她偷偷教会方晴抽烟，后来她抽得不多，方晴却烟不离手："方晴就是这样，她选定一种方式，就会一直按照那个方式生活，她非常地……固执。"

段飞问她："那你呢？"

"我也不知道……有些事情遇到了才知道，但我大概好一点，来北京后喉咙不舒服，就基本戒了烟。"

还没等到七十二个小时，第二天就有人联系叶萧萧，并不是市长热线，来电显示"未知号码"。电话里是个客客气气的低沉男声，却不容分说地要求她立刻赶到"以下地址"，他重复了两遍，叶萧萧还是没能记下来，手边一时也没找到笔，就说："要不您给我发个短信？"

对方还是非常客气，却拒绝了，说："叶小姐，您还是再努力记一下。对了，您打车记得要票，我们给你报销往返车费。"

第五遍的时候终于记住了，那个地方几乎到了密云水库，打车花了两百八十多。叶萧萧捏着发票下车，面前是一栋灰砖平房，院子里种满石榴，又搭着丝瓜架，架下有石桌石凳，凳上趴一只黄色小土狗。标准的京郊农民房，院子里似乎刚刚施过肥，腐烂酸味四散。她正疑惑着又默背了一遍地址，房门开了，走出来一个男人，也就三十出头的模样，穿一件簇新的白大褂，他说："叶小姐，辛苦您跑这么远了，请进。"

房间空旷，因为根本打通成一个房间，四下落白，却铺着黑色地板，没什么家具，只中间放了一套沙发。有两个人大概本来坐着，现在站起来迎接叶萧萧，一个满头银发穿白大褂的中老年女人，一个穿条纹POLO衫和西裤的中年男人，是那种得体的中年发福，远远看过去，皮带中间一个硕大的H扣闪闪发光。

带她进门的男人介绍说："这位女士是我的导师，她负责了永生针剂的研发工作，另外这位先生……是有关部门的工作人员，他特意过来和您沟通这次……事故。"叶萧萧发现，这已经被确定为一次事故，然而她还是不知道在场任何一个人的姓名。

走近了才看清楚，白衣女人的银发是染的，她不会超过五十岁，皮肤上有些许皱纹，鼻梁高挺、薄嘴唇、眼神凌厉，林萧萧无端端想到方晴家里的阿伦特海报，要是她也点上烟。她第一个开口："叶小姐，你是什么时间打的针剂？"

叶萧萧回忆了一下："三月二十五。"那天是周五，她记得社区医院的护士一边给他们打针，一边和旁边的人说，周末要去雁栖湖。

女人又问道："您的孕期倒推回去，大概是哪一天受孕？"

"三月二十五……应该是二十六的凌晨。"这不会有错，因为接下来一周他们并没有性生活。段飞开始接触新的工作机会，他显得很疲惫，而她藏身于他的疲惫中，试图独自应付永生真正发生时，内心始料未及的冲击。那一周他们甚至很少说话，叶萧萧想，也许段飞也在处理同样的问题。

"你没有避孕？"

"没有，不是说打针之后自动失去生育能力。"

女人不说话了，转头和那个中年男人耳语了一阵，男人开口说："叶小姐，您对这件事有什么想法？"

他们都还站着，叶萧萧自顾自坐下来："我能有什么想法？我就想知道这到底是怎么回事。"

银发女人声音低沉，又有一种科学家式的合理冰冷："我暂时没法给你一个准确解释，你是永生针剂推出后的第一例意外。按理说针剂中的阻断生育功能会即刻发生作用，也许是你的血液吸收发生迟滞，也许是你的体质对针剂发生了不明反抗，但这都无法确定……你也知道，什么都有例外，安全套也不是百分百避孕，我们接下来会进一步对针剂进行改进。唯一确定的是，你之前打入的永生针剂已经失效了，因为两个功能是同时生效或者同时失效。"

"那我现在怎么办？"

现在是中年男人开口："政府给您提供两个选项，一是您中止本次妊娠，我们再免费给您补打一次针剂，这一次由专家全程监控，保证成功。二是您继续妊娠，放弃永生，我们会全额退还您之前缴纳的款项，另外考虑给予适当现金补偿。"

叶萧萧沉默半晌，说："但我两个都不想选。"

"您必须选一个，考虑时间为一个月，但您最好尽快决定。您也知道，五十天之前是中止妊娠的最佳时间，您已经四十天了吧？再晚一点，对您的身体和心理也不好。如果您没有答复，政府将默认您已经放弃永生，退款会打入您的银行账号。发生这样的事故肯定谁都不想，但既然发生了，我们只能找到一个合理的解决途径。"

"不，这件事发生之后，就不再有合理的解决途径。"

男人没有接话，从沙发上递给她一个崭新手机："叶小姐，您好好考虑一下，随时可以通过这个电话和我们联系，里面已经预存了电话。"

叶萧萧接过电话，拿出那张几乎被她捏碎的发票："你们是不是还得给我报销打车费，往返五百六。"

　　她最后拿到六百块，叶萧萧紧紧攥住那些钱，回到家中。沿途下了一场短促的暴雨，白雾遮蔽万物，让人失去起点，唯有向前，但路面起伏不平，出租车剧烈震动，她系上安全带，又不由自主护住了小腹。

5

　　"可以试试起诉，你不用担心，我来做你的律师，明天我们就去立案。"方晴走到院子里抽烟，隔着玻璃门大声对叶萧萧和段飞说。院中青梅已经熟透，叶萧萧进门前摘下了两个，这种青梅极酸极涩，大概只能泡酒，但她吃了下去，后来又摘几个。怀孕第七周，叶萧萧胃口很好，也查了资料，研究过"酸儿辣女"，但她既爱吃酸也爱吃辣，有时候半夜会煮一大碗酸辣粉丝，叶萧萧默默想过，她希望是个女儿。

　　女儿，照着她的模样，白皮肤、小雀斑、眼皮内双、不喜欢说话，不和人争辩，却凡事倔强，就像……就像她从未见过的妹妹。儿子也可以，但还是要像自己，不要像段飞，段飞长得不错，性格更好，有时候叶萧萧甚至为此恼怒，因为他有太多她没有的东西，好像是一种先天缺陷。但不知道为什么，她希望自己对怀孕这件事拥有单一产权，就像一块火红烙铁，她紧紧握住时觉得灼痛，却又不想递给他人。

"怎么起诉？我根本不知道那几个人叫什么，也不知道他们的单位。"

"你当时交钱是去哪里？"

"街道办，社区收的费，给了一个收据。"

"那我们就告社区。"

"这能有什么用？"

"没有什么用，起诉的目的不是为了赢，而是为了他们和你庭下和解。"

"万一他们不和解怎么办？我们甚至不知道他们是谁。"

方晴摁掉烟头，回到房间内，说："那就没什么办法了。你应该事先想好，万一不成，你自己倾向于哪个选项……哪怕真能和解，你也得想明白，自己到底希望怎么样？你是要钱，还是要别的什么。"

叶萧萧和段飞都沉默下来，他们并没有私下里讨论过这个问题，在事情发生后，他们没有讨论过任何问题。因为讨论意味着做出选择，而做出选择意味着错误，任何一种选择都是如此。

段飞尤其小心，他躲避着所有需要他表态的时机，按照叶萧萧的转述，专家和官员都没有提到他，没有人知道。如果她打入的永生针剂已经失效，那他的呢？也许没有人提到他，就意味着并没有？也许他可以这样沉默着躲过整件事？

这明明是一条叶萧萧选定的小船，他起初冲动，继而犹豫，但终究还是和她一起上船，以为可以就此驶向没有终点的终点，但却突遇变故，对方莫名其妙掉进水里。到了今天，段飞才发现自己举棋不定，不知道自己是不是应当下船，不知道自己是不是舍得下船。

方晴又说："明天立案的时候得递交诉状，萧萧，我们今天得把这些事都定下来……说实话，我不是很知道你在纠结什么？你从小就跟我说，你不要生孩子，永生又是你一直想要的，你记不记得小时候我们一起看西游记？你说你不敢吃唐僧肉，却想吃人参果。"

叶萧萧点点头又摇摇头："我记得，人参果闻一下活三百六十岁，吃一个活四万七千年……但这件事不是这么说的，哪里有这么简单。"

"到底复杂在哪里？"

"你记不记得上次你说那些难民的孩子？那是不幸，不是不对……就是这样。"

"这不一样，那些人是已经把孩子生了下来。"

"没有什么不一样。"

"你是不是这两年信了教？"

"不是的，哪里有这么简单，不是这么简单的答案。"

"既然你原本不想要孩子……"

叶萧萧打断她，说："我不想要孩子，但我也不想堕胎，就是这样。"

"堕胎"两个字突然出现，让段飞心中一惊。他从来没有告诉过叶萧萧，多年前自己陪女朋友做过一次手术。延续到毕业后的大学情侣，两个人都刚开始工作，对事业和性爱有同样满溢的热情，都觉得戴套扫兴，吃药又伤身体，就糊里糊涂地按照"前七后八"计算安全期。这样过了几个月，终于糊里糊涂地怀了孕。他们根本没有讨论过别的可能性，刚过四十天就做了手术，在附近一家妇幼保健院。手术时他等在外面，百无聊赖，先在PSP上打了几局三国，又下楼抽烟。正值盛夏，进出的孕妇们身形庞大，大多数穿那种类似睡衣的宽松碎花裙子，平底拖鞋，露出一截粗壮的小腿。段飞也没什么想法，只觉得这件事永远和自己没关系。抽完烟他回到二楼，看玻璃门上贴的科室名，贴纸血红，"计划生育科"，下面是英语"Birth Control Department"。他看一遍，又读了出来。这是他第一次知道，"计划生育"这个词原来是这样翻译。

女朋友做完出来，挺高兴地说："我没事，一点感觉没有，医生说我身体很好，根本不用输液。"但好像还是应该补补身体，两个人就一起去吃了肚子里满是软烂糯米的韩国参鸡汤。后来他们又在一起住了几个月，开始认真避孕，随后分了手，为现在已经模糊的原因。从头到尾，他们没有说过"堕胎"——"手术"，他们使用这个可以大声讲出的词语，隐蔽定语，情感中性。

段飞不觉得这件事有什么重要，却也从未对任何人提起，他后来当然还有过几个女朋友，有时候也用宽泛的安全期自我安慰，但也许是幸运，他没有再见过血红的"计划生育科"。最后到了叶萧萧，她对这件事极为严格，如果某一次是先进去后戴套，她就会在三个小时内吃一颗事后药，哪怕半夜三点也是如此，小区里就有二十四小时药店。

"不会有事的，你这样对身体不好。"

叶萧萧耸耸肩："能有什么不好？最多是不能生育，但我本来就不想生育。"

段飞想，他永远不会知道叶萧萧是不是也做过"手术"，因为她是那种握紧秘密的人，每一个秘密。她甚至任性地扩大了"秘密"的边界，叶萧萧从不谈论任何一个前男友，她只含混地对段飞说过："前男友？我当他们都死了……他们都死了，我却永远活着。"

方晴和叶萧萧在长餐桌前一字一句讨论诉状时，段飞走到外面。小区比冬天时更显美丽，木栅栏被各色月季覆盖：玫红、明黄、艳粉、蓝紫。他恍惚记得，自己和叶萧萧去民政局登记结婚那天，沿途也开满月季。那条路带领他们通往另一个世界，也不过是两个半月之前的事，时间一定发生了某种他们都未察觉的错乱和扭曲，导致每个人都走到今天。

6

　　暴雨在车刚上四环时落下，等段飞开回小区，地下车库
已经淹了，有人光着膀子，正奋力往外推一辆破旧不堪的捷达。
水其实已经没过底盘，不知道为什么，那个人还是徒劳地努
力着。段飞把车停在路边，再一鼓作气冲回家里，不过两百
米距离，他浑身湿透走出电梯，看见同样浑身湿透的方晴站
在门口。楼道灯光明亮，她又穿一件真丝衬衫，段飞赶紧低
头寻找钥匙，没有看她的眼睛，或者其他任何部位。

　　叶萧萧下午告诉过他，方晴晚上会过来替她拿点东西。
立案后很快有媒体跟进，起诉状上又有原告地址，记者们整
日整日等在楼下。方晴说："你暂时别接受采访，先来我家住
一段，媒体我来应付……我们这个案子，没有动静不好，动
静太大也不行。"

　　叶萧萧就这么搬了过去，每天半夜回家不再有人给自己
煮面，段飞先是不惯，继而感到一种奇特的放松，他发现自
己根本不需要吃宵夜。洗澡、看晚间新闻、玩手机、睡觉，
原来没有过多食物的时候，生活会显得轻盈。每天中午，他
给叶萧萧打电话："有什么消息没有？"

　　"没有，方晴接受了两家报纸的采访。"

　　"看到了，她说得很好。"

　　"还有几家境外媒体也在找我。"

"你要接受吗？"

"暂时不会，方晴说再等等。"

"等什么？"

"等那几个人会不会主动和我联系。"

"他们联系了没有？"

"刚刚不是说了，没有。"

"哦，是……你住那边怎么样？"

"就那样，还是工作……对了，上一笔稿费我已经拿到了。"

"最近在缩写什么书？"

"一个意大利女记者的书。"

"好看吗？"

"还可以。"

"书名是什么？要不我也去看看，我现在每天睡前也看一会儿书。"其实并没有，段飞每晚睡前打半个小时手游，他也不挑剔，公司电梯里看到什么广告，回来就玩一会儿，永远在新手村打小怪。他觉得这样很好，不需要走到更远去历险，未知不仅带来恐惧，也让人厌倦。

"《给一个未出生孩子的信》，你应该不会有兴趣……后来她的孩子好像出了意外，也没生下来。"

电话中止于此，段飞打个哈欠说，他得上班了。

他们很少提到孩子的事情、一切事情，因为每一个细节都难以克服。两个人都不是北京户口，从幼儿园开始就得上私立，他们楼下倒是有一家幼儿园，开在一家东北菜馆的院子里，玻璃窗上贴满花里胡哨的彩色字条，门前摆着一堆更加花里胡哨的游乐设施：一只小黄鸭漏了气，歪倒在充气城堡旁边。以前两个人都不用坐班，有时候中午懒得做饭，会去这家餐馆吃酱腔骨，戴一次性手套一人啃掉一斤。落地窗擦得不干净，模模糊糊看见外面小朋友们排队上滑滑梯，不远处就是餐馆的烤架，厨师戴着污脏高帽，热火朝天地烤串。

但沿着河往前拐一个弯，会走到这附近的一个别墅小区，有时候他们散步走得远，会到里面走两圈。北京的高级小区也就不过那样，植物多一些，有人工湖，湖心有亭，沿湖摆几把木椅，他们就坐在木椅上，看湖中开出的几朵荷花。小区里有一所双语幼儿园，忘记名字里有"剑桥"、"牛津"还是"哈佛"；幼儿园围起一大块草坪，上面除了滑梯和城堡，还竖着一匹彩色旋转木马。他们去的时候总是傍晚，幼儿园已经关门，有小区里的小孩儿翻过栅栏，去骑并没有在转的旋转木马，家长们不好意思翻，就在栅栏外给孩子拍照。

段飞说："这个幼儿园看上去挺好。"

叶萧萧说："是挺好的，一个月一万五。"

"这么贵？"

"还得面试，得会说点英语背点唐诗才能录取。"

"你怎么知道这些？"

"小区业主论坛里有人说。"

"我们小区还有业主论坛？"

"有的，平均一个月出一个帖子吧。"

"那你还去看？"

"有时候觉得好奇。"

他们等到十一点，看过星星才回家。已经过了处暑，火星、土星和天蝎座的星宿二连成一条笔直长线，说是三十年才有一回。他们绕着那小区走了一圈，又是一圈，在一个固定地点抬头看，三颗星一点点下沉，直至消逝，像一个高潮之后仓促收尾的故事，像每一个故事。

方晴用叶萧萧的浴巾擦头发时，段飞想到那个晚上。不到一年之前，他们刚刚住在一起，开始申请永生，手续繁复，要填无数个表，又经常要重新填过。这些琐事都是叶萧萧处理，她也不抱怨，只是说："也没什么，就当同时办好几个签证。"那天她终于填完了，洗澡后提出想去散步，头发开始潮湿，后来渐渐干了，段飞走在边上，空气中有香波的青草味，他想："就是这个人了吧？应该是的，不会错了，不能错了。"

方晴的头发也有这股味道，被雨水打湿之后不知道为什么更显浓烈。段飞突然开口："你用的香波和萧萧的一样。"

方晴有点意外，愣了一下才说："是吗？这是我小时候用的香波，国产牌子，一直怕停产，每次都买十瓶……但我不知道萧萧也还在用这种。"

"萧萧……有时候我觉得她其实想变成你。"

"为什么？我有什么她没有的东西？"

"你的生活比较容易，没有包袱。"

"萧萧有什么包袱？"

"不知道，她从来不说。但有肯定是有的，她不喜欢做女人。"

"我也不是很喜欢，但我觉得这无所谓，变成男人也不见得会更好，有时候生活就是这样，任你怎么折腾，也不会变得更好……更多东西在开始时就被决定了。"

"萧萧不会这样想。"

"她会怎么想？"

"她会反复想，如果我不是女人，事情就会好得多。只要遇上波折，她就会绕回这个结论，现在这件事更不用说……当然，这件事上她是对的，如果她不是女人，就不会怀孕。"

方晴去冰箱里拿了两罐啤酒，递给段飞一罐，大概算某种生硬的安抚。接过酒时，他像提前喝醉般用力一拉，把方晴拉到怀里。方晴也没有挣开，只是说："这样也没什么意思，对不对？"

段飞把头埋在她胸前，这才发现方晴没有穿内衣，她的胸比她的人柔软，然而他只觉慰藉，不觉刺激。他闷声说："萧萧怀孕那天，就是我们从你家回来。"

"这么精确。"

"只能是那天……方晴，那天晚上本来就那么过去了，我们都很累，但我一直……一直想着你。"

方晴打断他："你说这些对我没有用，你是萧萧的男朋友。啊，不对，你们已经结了婚，奇怪，我们是不是都忘记了这件事？"

"我遇到萧萧的时候觉得她很好，但后来我又遇到你……方晴，我知道这么说特别恶心不可原谅，但你真的像她的修正版，修复了一些说不出哪里不对的 bug。你运行得更流畅，也更自然……我更想……更想和你在一起。"

方晴掰开他围在腰上的手，坐下来拉开啤酒："你不过是因为不认识我，隔得近了看，每个人都有 bug，我当然也有卡住的时候，只是我得自己熬过去，萧萧还有你。"

段飞又隔着距离去拉她的手："我想试一试……你愿不愿意和我试一试？"

方晴直直看着他的眼睛："我是不会永生的，你愿意为了我放弃永生？"

段飞沉默了许久才开口："本来我也没想过永生，这都是萧萧的意思，那时候……那时候我觉得自己很爱她，永远爱她……既然她要这样，那我就陪她这样。"

"但现在针都打了，你还愿意中止放弃？"

"……我不知道。"

"你是知道的，你说不知道的时候，难道不是已经做出了选择？"

雨早就停了，方晴走得很快，那点青草香波的味道萦留整夜，段飞第二日起床时却也散了。他烤了面包，沏上咖啡，等待的三分钟里给叶萧萧发了微信："想你，快点回来。"

7

楼下记者散了两天，叶萧萧回到家。记者似乎是在一夜之间散的，方晴不再接到采访电话，报纸上不再有法学教授连篇累牍分析这个案子，这一周的新闻热点是警方破了一个二十年前的连环奸杀案。

那凶手长得斯斯文文，被抓时穿一件崭新的蓝色条纹 T 恤，神色平静，说是大学教授怕也不会有人怀疑，听说警察都到了门口，他还在读一本翻烂了的《金刚经》。他在小镇中学里开个小卖铺，和身边任何人都既不是不熟，也没有额外交情，记者连他的小学同学都采访了一轮，却只问出他平日喜欢跳舞，以前也打麻将，后来输了一些钱，就干净利落戒掉了。他大概真是个干净利落的人，被抓后痛快承认，二十年前自己杀了八个人，先奸后杀，大部分死者被割掉乳房、双手和阴部，当中有个小女孩，只有八岁。受害者家属分为两派：一派要求立即执行死刑，另一派则说，希望判他终身独自监禁，再注射永生针剂。

怀孕进入十一周，她倒是没有胖，但因为不再健身，肚子微微外凸。夏天没什么办法遮掩，她索性照常穿牛仔短裤和条纹 T 恤，脸上只涂粉底，不化眼妆，戴黑框圆眼镜，又把头发剪到齐肩，别一个蓝色发夹。段飞又想，这分明是她妹妹，在想象中，他会喜欢她的妹妹，他喜欢叶萧萧，他更喜欢微调后的叶萧萧，像她的妹妹，或者方晴。

方晴跟着她一起回家。那场暴雨之后，段飞和方晴没有见过，但再见也没什么尴尬，成年人大概意味着可以成熟处理这些问题。这时青天白日下见到，段飞发现方晴皮肤粗糙，头发干燥，夏天刚到就已晒出雀斑，有孕妇在场，她没有抽烟，连喝两杯黑咖啡，却仍显疲惫，不过上午十一点，她已经停不住哈欠。方晴也是三十六岁，卧蚕渐渐变成眼袋，眼角有清晰皱纹。

和她也不怎么合适，段飞想，这样的女人其实也挺多的，不过是读了几本书，又不肯结婚，看上去有一种陌生带来的迷人；谁知道她们背后的生活，可能焦虑得要命，偷偷去整容，每天上"世纪佳缘"。这样想过之后，他发现自己轻松不少。

方晴说了两个坏消息，一是几家以前采访过她的媒体，说很快发表的稿子却都没有发；二是法院原本定下周开庭，现在却通知延期。

"为什么延期？"段飞问。

"法官来电话说他最近接到的案子太多了，态度倒是很好，不停给我道歉。"

"延到什么时候？"

"没说，只说能安排过来的时候一定尽快安排。"

"这种案子一般会延多久。"

"这种案子？没有这种案子，只有这一个案子。"

叶萧萧用铁钳夹了两个核桃，细细搓了皮吃，她倒是不怎么吃惊，说："不会开庭了。"

段飞问："你怎么知道，他们和你联系了？"

"没有，他们也不会和我联系了。"

"你怎么知道？"

"这还有什么不知道的？你是第一天生活在这个国家？"

"那我们就这么算了？"

叶萧萧本来坐在沙发上，突然渐渐歪下去，她用抱枕垫住头，又拿一张纱巾盖住肚子，说："要不我们还能怎么样？你有别的办法？"

方晴问："所以你已经想好了？"

"想好？当然不是。这件事永远想不好。"

"总之你是决定了。萧萧，说这些也不知道是不是会被天打雷劈，但生育是女人最大的事情，和这比起来连婚姻都不重要，你有没有想过，万一你以后后悔……"

叶萧萧打断她："当然想过，我一定会后悔。"

"那你还这么决定？"

"哪种决定都是一定会后悔的。你这种人，大概不理解什么叫'没有办法'，但很多人会走到这一步的，真的，很多人。我现在就是这样，没有办法，每一条路都是错的，不会再有什么好事等在我前面，但我又能怎么办呢？"

方晴想了想，说："既然你这样说……那就这样吧，你有需要再找我。"

"好的，谢谢。方晴，不管你相不相信，出了这些事我才知道，除了你，我的确没有第二个可以开口让她帮忙的朋友。"

方晴沉默半晌，轻声说："我也是。"

"你不会出事，你好像永远都不会出事的。"

"不可能的，没人能躲开这些，哪怕永生也躲不过，永生大概会出更多事。"

叶萧萧无端端笑起来："我们倒是可以拿一笔钱，他们不是说还要给我补偿？"

段飞这时才能插话："你不是说他们不会跟你联系了？"

"不需要联系，我们把案子撤掉，钱自然会打进银行卡。"

"你怎么知道？"

"你真的不是第一天生活在这个国家？"

方晴问："那我们什么时候去撤诉？"

叶萧萧伸个懒腰："就明天吧，早点拿到钱也好，毕竟到卡上了才能安心。"

"这么大一笔钱，你们倒是可以买个好房子。"

"不，我要把钱存起来。"

　　"为什么？你小时候说过自己永远不要存钱。记得吗？我说要存钱去美国读书，你说，我不要存钱，永远不要存，存钱最傻。"

　　"后来你的确存钱去了美国读书，我的确没有存到一分钱……但现在不一样，现在我有要等的事情。"

　　"等什么？"

　　"等到时间可以逆转，那样我就能回到那个晚上之前，抹掉现在这一切，和之后发生的一切……这一定很贵，可能比永生还贵，对不对？"

　　方晴和段飞都知道她指哪个夜晚，他们三个人都牵涉其中的夜晚。那个夜晚，每个人回想起来，都有每个人的悔恨和不安。方晴说："但那样你的孩子就会消失，不管长到多大，他都会消失。你这样和现在做手术有什么区别？"

　　"当然不一样，现在动手的是我，到那个时候，动手的是时间。"

　　"是你选择了你想要的时间。"

　　"随你怎么说吧，反正到时候这些对话也不曾发生过。没有发生的事情，就不会制造困境，也没有伦理。"

　　"但没有发生是因为你不想让它发生。"

　　"那又怎么样？我自己并不会知道，连上帝也是不知情的。"

　　她们后来停止了讨论，在吃过一顿谁都不记得内容的晚饭后，方晴走了。夜晚比想象更迟降临，后来又有月光，叶萧萧睡得早，段飞则一直在书房里加班，他拉上窗帘，又关了灯，笔记本屏幕白光闪烁，映出他更加苍白的脸，他反反复复回味叶萧萧的话，等到时间能够逆转……等到时间能够逆转……他逃避去探寻自己到底想回到哪里，是那个夜晚，还是更早的某个夜晚。

8

叶萧萧说得没错，撤诉的第三天，钱打到了卡里。

很大一笔钱，比想象中还要多一些。他们先收到短信，再用网上银行查了一次，最后又去柜台查了一次，柜台工作人员问："请问您还需要别的服务吗？"因为不好意思说只是来查余额，叶萧萧糊里糊涂把钱全部买了理财，4%的年化收益，随时可取，收益每天打入活期账户。

钱到账之后，段飞感到迷惑，却无人可以交流。钱的数目处于微妙区间，既可以认为是他们两个人的永生退款，加上一小笔补偿，也可以认为是叶萧萧一个人的永生退款，加上一大笔补偿。他依然不知道，自己的永生到底有没有中止，虽然之前也反复想过，自己不大可能从整套精密的系统里逃身出去，但既然他的精子可以，为什么他不可以？在第三次确认了钱的数目之后，段飞想，自己是没有办法确认这件事了，他又不能从露台一跃而下，试验自己是不是真的不会死。也许过了四十自然知道，叶萧萧不是说过，如果永生开始，会听到体内"咔哒"一声？不管怎么说，四十五总知道了吧，白发的数量，眼袋的大小，性欲的强度，也许什么都不需要，衰老自己会发出声音。

回家后叶萧萧显得高兴，对他说："你意识到没有，我们其实可以不用工作了，理财收益算下来，比我们现在的工资还要高一些。"

"在银行我就算过了。"

"但我还是要工作的，难道真的每天带孩子？何况这笔钱不能动，我们还要另外存钱换大一点的房子，这房子小区不行，以后孩子没地方玩。"

"是的，我也照常工作，我给你说了没有，我们公司融到A轮资金，有三千万，老板给我又涨了一点工资，加了一些期权。"段飞没有说出口的是，钱和收益都打到你的账号上，我当然只能照常工作，难道每个月让你打过来生活费？你应该给我多少生活费？

结婚后他们一直有各自账户，每个月都往共同账户上打钱，一切共同花销从上面支付。他们时常争吵，但从来不是因为钱，两个人往账上打的钱总要高于他们商量好的数额。在此之外，段飞给叶萧萧买过几个很贵的包，叶萧萧则给他买过一块表，他们都能负担更多奢侈品，但其实没有人对此有真正兴趣。两个人都清楚对方的经济状况，宽裕，却没有什么存款，直到收到这笔退款的今天。

这又是一件无人交流的困惑。永生款项来自段飞父母的遗产，付款时因为手续繁复，叶萧萧说："你先转到我的卡上吧，我自己去弄就行，免得你来来回回跑几趟。"听起来完全合理，段飞用网上银行一分钟完成了这件事，后来退款又照着付款账号退回，同样完全合理。然而整个故事早已发生完全不合理的偏移：他不知道自己是不是仍能永生，也不知道这笔钱和自己到底还有没有关系。

段飞认为自己不在乎钱，但他渐渐意识到，钱也许能换来很多东西，以前难以意识到的东西：生命、时间，不知道还会有什么。他想到方晴，感到一种不能摆脱的不适。也许有一天，钱能够删除他人关于自己的记忆，这样他就能删除那个他向方晴求欢未遂的夜晚，那到底需要多少钱？会不会这一天像永生一样迅猛而至，他却没有一点存款？

叶萧萧一直高兴到睡觉之前，这笔钱解决了种种问题，她的工作没有正式合同，一旦停止就没有收入，她也没有常规医保，只买了一个大病商业保险，"万一我得了绝症，你能一次拿到三十万"，她对段飞说。但现在他们的孩子可以从私立幼儿园一路上到私立高中，她早就查过资料，附近两公里内就有一所私立学校，英语教学，接口美国的 ACT 和 SAT。"孩子应该去美国读书，但也不能太早，太早怕叛逆期出事，十八岁正好，你说是不是？"她说。

段飞打个哈欠，关掉床头灯，含含混混地说："你说是就是吧，都听你的。"

第二天叶萧萧和段飞同时起床，她今天产检，段飞也问过需不需要他请假，叶萧萧轻快地说："不需要，当然不需要，你去了也就是在门诊室门口站着刷手机，都是孕妇，男人们根本没地方坐。"

段飞没有客气，他也觉得不需要。他渐渐发现，叶萧萧生活的任何层面都不需要他参与，性生活也许是需要的，但他们有一段时间没有性生活了，"虽然已经过了三个月，但还是不大放心"，她说。段飞对此没有意见，性这件事变得不再重要，他甚至无须偷偷手淫，欲望在一次奇异的爆发后，又奇异地消退，想到有无穷无尽的时间在前面，他对任何事都不再着急。

他的早餐照例是烤面包和胶囊咖啡，叶萧萧则昨晚就做好豆浆，她以前赶稿时咖啡瘾很大，但现在一周只准自己喝两杯。豆浆滚烫，配坚果、酸奶和三种水果，她只准备了一人的分量，正用酸奶搅拌水果，段飞坐下来，先深深喝了一口黑咖啡。

"今天产检完，我还是去私立医院建个档。"叶萧萧说。

"为什么？不是都说公立医院的医术好？"

"公立医院的环境太差了，医生流水线作业，一个人最多能分到三分钟，私立看得仔细一点。我是怀孕，也不是生什么病，只要没有太大问题，不需要什么医术。"

"那你选好了没有？这附近有靠谱的私立医院？"

"有一家据说特别好的，我已经预约了，产检加上顺产套餐三十万。"

段飞放下黄油刀，他涂得太多，让面包看起来难以下咽。三十万，他想，当然也不算一个太大的数字，大概是叶萧萧以前一年半的收入，现在对比银行里的存款，则根本不算什么。但叶萧萧并没有提前让他知道这件事，大概就像她没有要求自己请假陪她产检，"不需要，当然不需要"。

他几口吃下面包，又试图用咖啡压住满口的黄油味，再走进卧室换衣服，声音从卧室里不确切地传出来："你自己看着办吧，反正钱也都在你那里，跟我没关系。"

他出来看见叶萧萧的眼睛，混杂了鄙夷、挫败和不可置信，她说："你什么意思？你想要我还你钱？你也看到了，那笔钱一年后才能动，要不这样，我给你写张欠条，再拿去公证怎么样？"

段飞想说"好"，但他只听见自己高昂却软弱的声音："你说什么啊，你想到哪里去了？我得上班了，你产检完给我电话。"

9

叶萧萧一直没有接电话。段飞晚上十点从公司开车回家，他绕开五环，在导航中寻找到一条小路，穿过几个堆满垃圾的村庄，又经过一大片薰衣草田后，不知怎么走到了河边。那几日有淡淡轻霾，河上弥漫着不辨成分的雾气，前后都有想省掉十块钱高速费的大货车，打血红双闪，他想停下来抽支烟，却始终没有找到机会，就这样被前后紧逼，一路回到家中。

进屋就闻到烟味，叶萧萧在露台上抽烟，面前是一杯她以前常喝的 Ristretto，她打开了可能一年没有开过的电视。屏幕上白光耀眼，有一个漂亮女孩了正在跑步，露出手臂粗细的大腿，一种让人不适的美。

段飞迟疑了一会儿才问："怎么了？你一天都不接电话。"

叶萧萧没有转头，死死盯住屏幕："孩子没有长，我下午做了清宫手术。"

"什么？什么意思？"

"没有长，医生说，两个月的时候就不长了。上次检查还好好的，后来就不长了，胎心停了。"

"怎么会这样？你一点都不知道？"

"不知道，我什么都没感觉到，没有痛，也没有出血。"

"医生怎么说？"

"没怎么说，可能这样情况的人很多吧，也就说了三分钟，可能是我的问题，也可能是你的，也可能就是意外。后来给我开了单子，让我交钱做检查，下午手术。"

"你怎么不叫我来陪你？那你现在身体怎么样？"

"不需要陪，来了也就是坐在外面。也没怎么样，手术是全麻无痛，都过去了，医生说一周就能恢复。"

这场对话也差不多三分钟。这个孩子来时让段飞震惊，去时也是如此，但除此之外，他并没有组织出其他情感，尽管自己好像理应迅速涌出其他情感。段飞想了想才坐下来，搂住她的腰，说："没关系，就当这件事没有发生过……你本来就不想生孩子，就我们两个人，不也很好？"

电视上出现甜得腻人的歌声，应当是关于爱情，或者某些类似的东西。天气燥热，叶萧萧关上窗，却没有开空调，烟味死死不去，隔着裙子，她的腰依然热得像一块滚烫烙铁，他们在这个姿势上僵持许久，好像谁都没有想好如何进入下一步剧情，但那块铁终究渐渐凉了下来，叶萧萧喝掉咖啡，又起身整理烟灰缸，她声音沙哑，像浓烟未散："是的，你说得对。"

叶萧萧在两周后复查身体，医生看了她的 B 超单子，语气轻松地说："恢复得挺好，你是还打算要的吧？还得两周才能同房，三次月经后就可以再次备孕，记得吃叶酸。"

十五天前是另一个女医生，她躺下去也就三十秒，听到医生同样语气轻松："……胎芽长 1.2cm，胎心未见……"叶萧萧理应听懂了这些话语，但她一直到流水线般做完手术，才重新回去迎面撞上词语中的意义。手术后需要输液和观察两个小时，病房里有四个女人：一个二十出头的女孩子，和男朋友缩在小床上看一部国产连续剧，隐约从屏幕上能看到一个瘦极了的女孩子在跑步；两个人显得高兴，那女孩留齐肩短发，苹果圆脸，刚从手术室出来，却脸颊粉红，她和男朋友每隔几分钟就要接一会儿吻。

不知道是什么连续剧，我回去也找来看看，叶萧萧想。

另外有两个人在睡觉，大概是这种手术后也算坐月子，病房里不开空调，又紧闭门窗，那两人还紧紧裹住被子，有一个人甚至用毛巾包住头发。病房里每隔一会儿就有人来打扫，一股浓郁消毒水味，却还是无端端让人觉得污脏。叶萧萧偷偷换掉病服长裤，又尽可能让上半身悬空，麻醉过去之后也不觉疼痛，只是让人疑惑，也许这是一场梦，也许从三月二十五号开始，她就一直没有醒。

对面的女人正在剥橘子，已经剥了许久。医生巡房的时候大家都听到，这女人怀孕二十四周，突然停了胎心，现在正在药流，已经吃了两天药，孩子还没下来。再等等，实在不行就只能直接引产，医生说。她也就是怀孕六个月的样子，肚子不算大，走路时已经不由自主往前挺着腰，她也没有哭，只是坐在床边，反反复复剥同一个橘子。这么说起来，这个病房里没有人哭，输完液离开的时候，她看见那对情侣又一次笑嘻嘻接吻，那两个女人依旧蒙头大睡，最后的那人，还是在剥橘子。

叶萧萧拿不准自己能不能哭，一个曾经笃定地要用生育换取永生的女人，好像并没有如此资格。手术后第二天她重新开始工作，继续缩写那个意大利女记者的书，原来命运早已提供了足够暗示，只是她太过粗心。

段飞还是整日不在家中，漫长白日里，她有过几次发现自己涌出眼泪，无论如何都擦不干，四下无人，她还是有指向不明的羞愧感。大概从第八天开始，她单方面宣布自己已经痊愈，"也不是我的错，该做的我都做了"，又一次洗去泪痕，她对着镜子大声说，后来还哭了几次，但眼泪终于渐渐走向枯竭。

她给方晴打过电话，简单说了这件事，最后她说："……真希望自己不是女人。"

电话那边沉默许久，方晴终于说："……你是对的，真希望自己不是女人。"

复查结束那天晚上，段飞凑了过来，先抚摸大腿，后来慢慢握住了胸，一套他们曾经熟悉的前戏。

"医生说还得等半个月。"

"我会很轻，行不行？"

沉默算是同意。段飞从床头柜里翻出一个冈本001，倾身下来，说："我是不打算死的了，你怎么样？"

停顿意味着思考，而思考意味着错误与悔恨。叶萧萧没有停顿，她几乎是迫不及待说："我也是，谁要死啊。"黑暗中她打开内衣上的银质玫瑰，双臂颤抖，抱住眼前一切。

我和你只有这四个夜晚

Constellations

第一个
二〇〇四年六月二十七日 南京

那时候南京还没有霾,夏天是没有商量的夏天。漫长白日,酷热让万物失去耐心,空气中飘动的每一句话都冗长、干燥、毫无必要。然而到了夜晚,地面渐次退凉,微风混杂金陵啤酒,在满地小龙虾钳子的青岛路上鼓起女生的短裙。风中暑气未散,是还未燃到尽头的野火。

萧孟和汪染坐在路牙子上抽烟,他已经喝了五瓶金陵,目光灼灼,看见前方七八个法学院女生站在路边吃麻辣烫,林奕的蓝色连衣裙下穿着黑色内裤,小三角,纯棉。风鼓起每个人的裙子,不知道为什么,萧孟只看见这一条内裤。因为内裤的关系,他对林奕的打分从 8 上调到 8.5,其实就算上调到 9.5 也没有意义,这是他留在学校里的倒数第七天,一切都濒临结局,一切都来不及。但在这个被酒精、痛苦和荷尔蒙同时击垮的晚上,他想给林奕一个公正的分数,一个对得起她的大腿、皮肤、小酒窝以及黑色内裤的分数。

萧孟刚认识林奕几个小时,在毕业二手市场上,下午两点,他去接替守了一上午的汪染。二手市场摆在图书馆对面,梧桐树下茫茫一排水红色塑料布,每个摊位后面都有一个晒蔫成金色脆叶子的人。汪染一口喝下大半罐冻雪碧,递给萧孟一堆零钱,说:"就卖了这么些,不到一百块,我靠,我看都不够晚上的房钱酒钱。"

萧孟说:"差不多,我们又不去古南都,要是下午再卖点,我们就去东门边上那家,开个套间,能轮流睡觉,也就三百八。"

边上摊位的女生从太阳伞下面伸出头,大概想看看青天白日下讨论开房、而且还要套间的男人。她探出一张鼓鼓圆脸,皮肤介于晒伤和天然粉红之间,头发胡乱编成辫子,用一个红色文件夹固定,鬓角渗汗,穿须边牛仔短裤,白色小背心,扎棕色皮带,赤脚站在塑料布上,边上横着一对黑色人字拖。萧孟看她一眼,哦,这是个8分。但8分的女孩子校园里是很多的,他交过接近9分的女朋友(因为分数过高被师兄撬走),在某次醉酒后和一个同样醉酒的8.5分差点上床(最后两个人都吐在床单上,要赔偿宾馆一百五十块,他出了一百,对方出了五十),大二那年,他还爱过一个8分的法语系姑娘。

法语系姑娘,长得干净利落,嘴里却永远像含着鹅卵石练习小舌音,把每句话吞下一半,含糊躲避一切需要做出决定的事情。问她"你到底对我什么意思",她吞吞吐吐,不知道怎么就变成和他讨论福楼拜和加缪,但萧孟是个理科生。吞吐的次数多了,萧孟逐渐失去耐心,他并没有即刻转向下一个 8 分,或者向 9 分发起冲击,他只是失去耐心。法语系姑娘察觉他失去耐心后,几次在图书馆里偶遇,穿白毛衣蓝裙子,平跟黑皮鞋,民国女学生式短发,双目含怨望着他。萧孟以为她会走过来,口齿清楚地说出个什么决定,但并没有,她还是在一切举动中含住那块鹅卵石,不肯说出哪怕一句斩钉截铁的话。

萧孟后来跟汪染说,法语系姑娘让他觉得,自己没劲,一切没劲。

汪染走之前把雪碧罐子捏瘪,漫不经心地介绍边上那姑娘:"这是林奕,法学院的,我刚刚认识的老乡……林奕,这是我一个宿舍的,萧孟。"

他们互相点点头,没有问对方名字是哪几个字,大概因为都没有打算存入手机通讯录,七天,上帝来得及创世再让万物休息,两个人之间却来不及建立一段可以把手机存入通讯录的关系。他们都在滚烫的塑料布上坐下来,一人拿一本书垫住屁股,萧孟用一本大开本的《理论力学》,林奕屁股略小,用的是政治学的课本。

下午生意清淡。林奕只卖出去一本十块钱的《比较宪法与行政法》,附送了一盘黄舒骏的《改变 1995》,大部分时候她还是撑着伞，在伞底下艰难地看一本小说，萧孟瞥到书名——《玫瑰的故事》。他的生意还没开张，天渐渐阴沉下来，越发闷热，像在酝酿一场凶狠暴雨。周围摊位上的人开始收拾东西，顺带互相交换物品，整套盗版金庸全集是市场上的硬通货，可以换三筒没开封的羽毛球，或者五条二手印花吊带裙；这套书只有三本，暗红色硬皮封面，字极小极密，几乎需要放大镜。萧孟手上也有一套，他不需要吊带裙，本来想卖五十块，但眼睁睁看着市场上的货币体系已然崩溃，犹豫一下，索性翻到《笑傲江湖》——令狐冲失恋，在绿竹巷里学清心普善咒。

　　一路看到蓝凤凰出场，用蚂蟥给令狐冲输血，雨却还没有落下来，天忽明忽暗，风猛烈撞击梧桐树叶，好像也在这个下午举棋不定。市场上除了他和林奕，只剩下远远有个男生，卖一堆过期杂志，看起来一本都没有卖出去，他徒然坐在那里，啃一根烤肠。四处空荡，烤肠的味道变得不可抵挡。林奕消失了几分钟，再回来手里拿着两杯冻珍珠奶茶，两根烤肠，递给萧孟，说："喂，吃不吃，六块钱。"

　　萧孟接过奶茶和烤肠，没有给她六块钱，他在塑料布上翻了一会儿，找出一个龙猫存钱罐："这个行不行？"

　　"行吧。"

　　两个人坐下来吃烤肠，淀粉有奇异香气，奶茶极甜极冰，萧孟看见林奕整条腿往前伸展，腿并不细，荡着满目白肉，脚趾甲上有半褪未褪的红色指甲油。他们又沉默了一会儿，他才开口："你考研没有？"

"没有，我找了份工作，要去北京。"

"什么工作？法学院的本科好不好找工作？"

"在一个小公司里做法律顾问……不好找，但你铁了心要工作的话，总是能找到的……我又没有要求年薪十五万。不过铁了心是一件很难的事情，任何领域都是，你说是不是这样。"她用吸管对准黑色珍珠，猛吸一口奶茶。

林奕说一个问句，却没有使用问号，她吃完烤肠，走几步去垃圾箱扔竹签。萧孟看她的背影，白色背心打湿了贴紧上身，露出一丁点腰，辫子散开了，弯弯曲曲垂在肩膀上，脚踝靠后的位置上有一块疤，看起来是穿那种系带高跟鞋磨破了，疤长得不好，结暗红色血痂，却显得那处皮肤尤为白细。气压低到步步紧逼，他试图想象林奕穿高跟鞋的样子，又再次确认了分数，8 分。他不知道对这个姑娘反复打分有什么意义，只是在这个萧条到两个小时没有一个顾客上门的毕业二手市场上，他也没有别的事情可做。

空气中有尚未熄尽的灰尘气息，萧孟确切感受到自己的荷尔蒙，这种确切和凡事都不确定的法语系姑娘一样，让他觉得没劲。而没劲这件事，又成功对冲了那些荷尔蒙，也就短短几分钟，原来一个人体内可以完成如此复杂的能量转换，好像一个有多重变量的精确方程。他喝光奶茶，继续看《笑傲江湖》，岳灵珊和林平之用剑在雪人上刻下誓言："今生今世，此情不渝。"这一段让他生理不适，大概也因为烤肠吃到最后，淀粉味突然变得不可忍受，他又翻到前面，看令狐冲和梅庄四友比剑谈棋，喝冰镇葡萄酒。

过了五点，在图书馆里吹空调的人陆续出来打饭，摊位前短暂红火了一阵。林奕用五十块钱打包卖出去十几盘磁带，专业课教材都按三折卖，买五本以上送一个热得快，她面前也就剩下几本小说，包括那本她看了一下午的《玫瑰的故事》。萧孟的金庸全集卖了四十五，买主是一个可以打 8.5 的物理系师妹，穿一条灰色背带短裤，胸前白 T 恤上印着加菲猫，胸起码有 C，让加菲猫更显脸大。萧孟刻意感觉了一下，在这样埋想的加菲猫面前，荷尔蒙却不知所踪，像它也有自由意志，并不想遵从人类世界的科学规律。几十张游戏光盘一张只卖一块钱，全套 CS 模型倒是卖了六十，又半送半卖出去一堆《科幻世界》，这样除了一些他完全没有指望过能卖出去的烂书，他只剩下两本霍金——《时间简史》和《果壳中的宇宙》。

风在犹疑不定半天后终于停了，南苑食堂的糖醋小排里放了太重的冰糖和香醋，气味粗暴地穿过整条汉口路，让每个人觉得馋。萧孟和林奕都开始收拾东西，他远远看见那一堆小说里有一套三本，崭新白色封面，黑墨印着一个男人头像，随口问道："这是什么书？"

"《追忆似水年华》，一个法国人写的小说。"

"好看吗？"

"不知道，我每次都只能看到前面五十页……每次都觉得这五十页挺好看的，但后来再打开又总是忘记了到底写的什么，只好又重读一遍。"

"挺好看的为什么不看下去？"

林奕重新开始编辫子，同时作出思考状，编到最后一步，用文件夹重新固定住，才说："……我也不知道，好像总觉得以后有时间，把它一口气读完。"

"你什么时候买的？"

"……大一，也是二手市场上买的。"

"也就是说前面那个人可能也只看了五十页？"

"……也有可能五十页都没看。"

他突然起了好奇心，想知道一套永远让人只读前面五十页的书到底是什么样子，就说："不如你换给我，我这里也有一套书。"他拿出那两本霍金。

林奕看看书名，疑惑起来："但我是文科生……"

"我也没看过，起码放在书架上挺好。"

后来就成交了。盛夏六点半的阳光有一种拼命想抓住什么似的凶狠，但不过十分钟也衰败下去。这个时间刚好够他帮林奕把东西拎到 8 号宿舍楼下，墙脚满是藤蔓，排着一溜儿各色水瓶，木头门框吸足湿气，长出几朵褐色蘑菇，林奕站在水泥台阶上，背巨大的登山包，客客气气和他说再见。

走了这么一阵，大家都出了汗，刚才隔得近并排往前走，身上有一股把所有其他人隔绝在外的气味，现在距离稍远，那股气味像风里的蜜糖，你确定有，却实在闻不到，他看着林奕走上楼梯才转身。女生宿舍里从外面看进去总是黑沉沉一个洞，一楼大厅没有窗户，顶上日光灯又永远坏掉，宿舍阿姨阴阴地坐在黑暗中看一个十四寸电视机，他愣了二十秒，林奕也就被那个黑洞吸进去，骤然不见了。

萧孟慢慢走回4号宿舍，也就两百米，他又出了一身大汗，上楼时看见自行车棚里挤满人，高声谈论着某件让人激动的事情。但他手里拿着那套《追忆似水年华》，什么都听不见，只觉得脑子里软得抽不开身，有一种想不管不顾，却不知如何不管不顾的柔情蜜意。到了宿舍门口他才想到，楼下那些人大概和他们系一样，在讨论晚上去宾馆通宵打游戏。

宿舍里只有汪染在，脸色阴沉坐在电脑前，大家都差不多收拾好了东西，编织袋密密堆在中间，宿舍西向，窗前那棵银杏中间正好劈叉，让最后那点光直直照进来，编织袋上扬起铺天灰尘，房间里是一种毫无回转余地的热。萧孟去水房里冲了冷水澡，水房里难得空无一人，窗户紧闭，窗栓别着，这扇窗平时从来不关，哪怕十二月刮凄厉寒风，在水房里刷牙时能听见风撞击窗棂的声音。对面5号宿舍水房里有扇一模一样的窗，一模一样的人在刷牙，像某部史蒂芬·金电影的开头。

萧孟洗完澡把窗户打开，楼下正对自行车棚，那群人依然没散，几乎所有人都在抽烟。车棚顶破一个大洞，密密挨挨的头顶挤在洞里，一排自行车东歪西倒，像有人恶作剧推倒一辆后引发的多米诺效应。宿舍在六楼，听不清楼下声音，只看见烟雾弯曲上升，汇总又分散。

再回到宿舍，发现汪染还是坐在电脑面前，眼睛通红，大概又打了一下午游戏。萧孟说："我们晚上几点出去？你和603、604的人都约好没有？"

汪染抬头盯着他："你还没看到？"

"看到什么？"

"你从外面回来没有看到？"

"看到什么？"

"你真的没有看到？"

"你他妈是不是有病啊，到底看到什么？"

汪染猛地把鼠标摔上玻璃窗，那个无线罗技发出一声闷响，却并没有粉身碎骨，他说："丁零死了。"

"什么？！"

"丁零死了。"

"什么？！"

"你他妈是不是聋了？丁零死了！就从水房跳下去的，下午两点半，我他妈的刚好从你他妈的那个摊位回来，我他妈的正好看见他掉下来！你看我的衣服！"汪染站起来，指着白 T 恤胸前的血迹，并不多，凝固成黑色。

萧孟一点五十离开宿舍，经过 604 时看见丁零正在收拾杂物。他的杂物根本不杂，书架上教科书按颜色分类，一个铝制饭盒专门用来放证件，十几根水笔也用橡皮筋整整齐齐束起来。丁零就是那个样子，打 CS 时只能做狙击手，因为打完一枪后需要思考片刻才能重新上膛。他凡事都有一种惹人耻笑的认真，大家也总耻笑他，从他扣到最上面一颗扣子的衬衫，到他奋力复习、期末考试也不过拿到二等奖学金的事实。这些耻笑持续四年，并非出于恶意，不过出于习惯，话中的刺依然锋利，却再没有人看到上面的灼灼白光。

萧孟记得自己随口跟丁零说："晚上别忘了，打通宵。"

丁零还是习惯性思考片刻，才说："我不一定去了，我想早点休息。"

丁零也要出国。他是数学本科，去美国读一个计量经济学的硕博连读，萧孟前几天还跟他商量一起买机票的事，这样飞机上十几个小时两人还可以打跑得快。大四上学期，丁零不声不响谈了一个天文系女朋友，怎样谈起来的不详，突然之间，他们就一起去食堂打饭，合吃一份黄豆烧鸡；丁零把仅有的几块鸡皮鸡脖子夹到对方饭盒里，吃完饭出来，他一手拎两个 8 磅水瓶，把天文系姑娘送回 8 号宿舍。

天文系姑娘，圆脸、浓眉，头发梳成马尾，说不上美还是不美。初秋一直穿白衬衫，天气渐凉，就在白衬衫外面加一件藏蓝色圆领毛衣，到了冬天，毛衣外面再加件藏蓝色毛呢大衣，最后是一件大红羽绒服。萧孟有一次遇到他们在8号宿舍楼下告别，丁零一直揪住羽绒服袖子，也不说话，就在那儿揪住那根袖子。后来又是春天，姑娘再从羽绒服脱成毛呢大衣，还没等到脱掉圆领毛衣露出白衬衫，他们就分了手，一次没能涵盖四季的仓促恋爱。

几个宿舍还是凑在一起打游戏，有时候CS，有时候装上手柄打KOF2000，丁零长得粗糙，脸上总有几颗青春痘，却喜欢选麻宫雅典娜。小姑娘穿红蓝两色的紧身裙，咖啡色长靴，露出细细大腿，头发梳成两个髻，和拳皇97里一样，还是发圆球冲击波。

边上的人装作不经意问："丁零，天文系的波，你到底摸到没有？"

一群人笑起来，丁零不回答，狠命发出大招，一个巨大的冲击波。输掉的人又故作幽默："要不要这么拼，显然是没有摸到咯……你他妈到底是不是有什么问题？去鼓楼医院看过男科没有？"

最后还是不知道，丁零有没有摸到天文系姑娘的波，他没有留下遗书解释这件事。他什么都没有留下，所有个人物品收拾成三个编织袋，桌面上空空荡荡，只有一把宿舍钥匙和一张饭卡，大概因为饭卡里还有点钱，他想着可以留给宿舍里的人。

几个宿舍约好的通宵游戏局自然取消了。七点半，萧孟和汪染下楼吃饭，走出门看见有工人在给自行车棚换上翠绿新顶。天恍惚黑下来，门前有昏黄路灯，有人打开强光手电筒，照出地面上一点含糊不明的残留物，他们快步走出那点被光明笼罩的面积，走到更可靠安全的黑暗中去。

两个人坐在路边烧烤摊的矮桌上，点六十个烤串，两个芝麻烧饼，拍黄瓜，一人五瓶金陵。汪染一直沉默，只吃黄瓜下酒，黄瓜拍得过碎，又拌了太多蒜泥，白色平盘里像发生了一场凄厉的谋杀案。

喝到第三瓶，叫了第二盘黄瓜，他终于开口问萧孟："……你说，丁零为什么要去死？"

萧孟吃多了羊肉，胸口燥热，他让老板送来 杯冰块，拿起几块直接嚼碎，说："不知道……会不会是因为失恋？"

"那都好几个月了，当时为什么不死？过几个月了才发现自己活不下去？就谈了这么场破恋爱他就活不下去？他是不是神经病？"

"不知道……可能当时不觉得这是个事儿。"男生宿舍里的风气总归这样，表现出把爱情看得过于重要只是不合时宜。天文系分了就追英语系；商学院姑娘因为就业前景良好，一直是校内热门；医学院都是本硕连读，身上常年散发福尔马林味，这让她们从大三下半学期开始，就在恋爱市场上表现出焦虑，正是出手的好时机。

在 4 号宿舍的话语体系里，一场恋爱里的最大的悬念是卧谈会上交代"睡了没有？"以及"是不是处？"。他们试图回忆失恋后的丁零，但并没有透露过任何能和从六楼水房跳下去相提并论的激烈情节，只想到有一天大家凑份子去吃酸菜鱼，604 的人把鱼头夹给丁零，以安慰他"被天文系那个女人给甩了"。饭桌上没有人问他到底为什么被甩，这个话题以一个草鱼鱼头结束了。丁零吃完那个鱼头，最后和大家一起一人出了十五块，他本就是个沉默的人，那天也没有变得格外沉默。

喝完酒坐在路牙子上抽烟，汪染突然生起气来："神经病，我早看出他是个神经病……要死不能回家去死？不能去美国死？一定要死在宿舍，妈的最后这几天还让不让人睡觉？今天你回不回去？我可不回去了，网吧还是卡拉 OK？网吧便宜点，但新街口那家卡拉 OK 有自助餐……"

萧孟把眼睛从林奕的黑色内裤上转回来，他摁掉烟头，说："你自己去吧，我晚点再说。"

汪染走了一会儿，林奕终于吃完麻辣烫，萧孟看她买了一袋子黑葡萄，摇摇晃晃往宿舍区走，她还穿着那双黑色人字拖，露出脚踝后的暗红疤痕。她走到汉口路工商银行时，萧孟追上去，当着周围那些女生的面，说："喂，你能不能等一下，我有点事问你。"

一群人故意笑起来，又故意咳嗽，挤眉弄眼一阵后终于剩下林奕一个人。作为一个 8 分姑娘，大学四年她大概习惯了这种场面，看起来分外镇定，刚洗过的头发还没干透，有蓬蓬栀子花香味，她反复拨弄手腕上的橡皮筋，说："怎么了？"

"也没什么事，你能不能陪我走走？"

她犹豫了一会儿，就是女孩子收到邀请后那种必须要有的犹豫时长，然后说："但我拿着葡萄。"

"没关系，我替你拿。"

"我还没打水。"

"我打了两瓶，等会儿给你。"

"……我想早点休息，明天我们系要去珍珠泉烧烤。"

"就走一会儿，这才九点。"

过了几分钟两人才发现是在往北大楼的方向走，经过他们下午摆摊的那条路，两边梧桐树黑暗中有窸窣人声，可以想见是情侣在接吻，也许不只是接吻。风已经停了，云压在头顶，萧孟只觉潮热尴尬，焦急寻找话题："你听说没有，今天我们楼里有个人跳楼了。"

林奕顿了顿，说："听说了，他以前女朋友也住在 8 号宿舍。"

"那个姑娘怎么样，是不是吓坏了？"

"不知道，我不认识，见到可能觉得面熟……下午回宿舍，听说她知道这件事就回家了。"

一场如此这般的自杀，原来也就能给他人提供一分钟的对话，来往三个回合。走到钟亭，他们进去歇脚，四周绿树投下黑影，暗中浮动月季香气，林奕无意识用手指敲钟，有暗哑回声，萧孟又说："你……这几天要不要和朋友最后逛逛南京？"

这就算开口问有没有男朋友了。林奕当然也懂，她说："不，我过两天就要去北京报到，公司催得紧，刚好有一堆合同要签……坐得差不多了吧？再往前走走，我想去小礼堂上一下洗手间。"

五月初十，月亮是一个胖胖半圆，银白色月光洒在地上，像一部恐怖片，却配上不合时宜的温柔背景。萧孟站在小礼堂外面等林奕，拿不准刚才她那句话算是有还是没有？七成可能是没有，摆摊吃饭看她都是一个人，和自己走了这么些时候，也没有拿出手机发过短信。但也许男朋友就在北京，本科毕业没想考研或者出国，是着急过去和他相聚。

不过这又有什么关系？他只想要这一个夜晚，没有过程与规划，剥离过去与将来。但想要的指向依然不明，他出门时神思恍惚，没有带身份证，现金也就两百多块，如果开房还得回一趟宿舍。但他想要的真的就是开房？他想着林奕的身体，软而有肉，下午牛仔短裤紧紧绷住屁股，晚上连衣裙露出两条丰盈的胳膊。但这些并不是他的荷尔蒙，他的荷尔蒙停留在更不可界定的地带，他只是清晰地知道，在这个被死亡染得血红的夜晚，他想要和一个下午才认识的姑娘待在一起，毫无意义地待在一起，看她偷偷整理黑色内衣肩带，闻风中两个人酿出的温热气息，说一些深思熟虑的屁话。

林奕洗了葡萄，塑料袋一路滴着水，他们把葡萄皮握在手里，终于走到北大楼。走到了也不知道怎么办，北大楼不过就是那个样子，每个人走到面前都只能赞叹爬山虎，他们也就交叉赞叹了一会儿，但黑暗中其实看不清爬山虎。又吃了十分钟葡萄，交叉赞叹今年的葡萄非常甜，把葡萄皮扔进附近垃圾箱，再分别找洗手间洗手，等再到北大楼下的台阶上坐下来的时候，他们似乎已经变得熟悉。

萧孟说："你下午看那本小说讲什么的？"

林奕抬起手绑马尾，月光下露出腋窝，整条手臂晒成小麦色，让那一小块显得格外白。她说："一本言情小说……你们男生不会有兴趣。"

"到底讲什么的？"

"讲有个女孩子，长得很美，特别特别美，接近于神话故事那种美。遇到她的男人都爱上她，忘不了她，永远忘不了她，她呢，也爱过一些人，先是这个，后来是那个，爱上每个人的时候，她都用了全部的心和力气……大概就是这么个故事。"

萧孟有点吃惊："你怎么喜欢这种故事？"

林奕抬起眉毛："怎么，你觉得很可笑？"

"也不是，就是不像你……"

"你才认识我几个小时？"

"但你看起来总是……这种故事……是不是太假了一点？"

林奕不动声色地说："是吧，一个爱情故事，因为当中的人太热烈，所以就显得太假……你是不是这个意思？"

她大概是生气了。萧孟沉默下来，又过了一会儿，林奕自己开口："我上一次晚上来北大楼，是和前男友一起。"

她顿了顿，好像自己也没想到，会突然说出这么私人的话语，但既然开了头，也就得说下去："也差不多是这个时候，42度……一直说要下雨，一直没下下来……热是热的，两个人面对面站着，满脸汗，都像杀人犯……我们在这里谈分手，其实分手有什么可谈的，但也谈了很久……后来算是谈好了，那场雨也终于下来，暴雨，打雷，闪电，什么都遇上了，他让我躲一会儿雨，我没听，冲回8号宿舍，路上把高跟鞋扔了……我们再没见过。"

"为什么要分手？"

"他比我大一届，也是法学院的，当时就要出国。"

"出国为什么就要分手？"

"不知道，那个时候觉得这样下去……不现实。"林奕的声音渐渐低下去，好像她自己也为说出来的话感到尴尬，一个不喜欢别人说爱情故事太假的人，会仅仅因为男朋友要出国，就觉得"不现实"。

萧孟没头没脑地说："我也要出国。"

"知道，上午你室友说了，你们宿舍里除了他都要出国。"

"丁零，就是下午跳楼那个计算机系的，也要出国，我们本来打算坐同一班飞机。"

两个人又沉默下来，都意识到从出国到分手再到自杀之间可能的逻辑链。不知道8号宿舍另外一个宿舍里，是不是有个姑娘，在某天晚上决定和即将出国的男朋友分手，因为继续下去"不现实"。

萧孟点了一支紫南京，坐到稍远的地方吐出烟圈，林奕却又坐过来，说："给我一根。"

风又起来，头顶有星。萧孟大一参加天文学爱好者社团，和几十个人在浦口校区的天文台上观星，他就是在那个时候爱上法语系姑娘。法语系姑娘，夏天穿一条印满黄色花朵的连衣裙，和他共用一个望远镜，郊外山顶风大，她的左手一直按住裙子下摆，却没注意到自己低头露出半个胸，她穿白色胸罩，胸口有颗黑痣。

她比他有天文学基础，教他分辨金星和火星，牛郎和织女，又在茫茫银河中划出一个含糊的圈，说："看出来没有，这就是双子座，你是什么星座？……天蝎？天蝎挺像你……天蝎和什么星座般配？我怎么知道……这种事情，说不清楚……何况还得看月亮星座是在哪里，你懂不懂什么叫月亮星座，一般说的星座是指太阳星座……"。这是法语系姑娘含上鹅卵石的开始，从宇宙到人间，总有这么一块鹅卵石横亘在他们当中。

　　林奕抽烟的姿势纯熟，但并没有把烟吞进肺里，不过在口腔里过一下又吐出来。萧孟觉得这是一个把金星火星双子座用起来的合适时机，但他发现自己早已认不出任何一颗行星，市区里抬头也看不见银河。绝望中他又接上前面的话题，好像想安慰她那句"不现实"："丁零自杀可能跟失恋没什么关系，他本来就是个怪人。"

　　"怎么怪了？"

　　"说不清楚，看起来哪里都正常，也跟我们说话踢球打游戏，从来没和人吵过架，但你就是知道他是怪的，他跟我们这些人……都不一样。"

　　天空墨蓝，风让每一朵白色云彩像着急从这出戏里下场。林奕抬头盯住最亮那颗星，说："一个可能是为了失恋去死的人……当然，他跟我们所有人都不一样……我们，我们是找工作考研和出国的人，当然我们没有错，但他也没有，你说是不是这样……"她打个冷战："风刮得这么大……好像要下雨了，我们回去吧。"

　　雨一直到萧孟回宿舍才开始落下。一下就是暴雨，整个六楼空无一人，水房里那扇窗又被人关上了，老式窗栓早就生锈，雨水从窗缝里汹涌而下，像是《闪灵》里刹那涌出的血。他冲了一个冷水澡，躺在床上想念下午卖出去那套金庸，如果还在手边，他就能熬个通宵把《笑傲江湖》读完。

　　但枕头边只有厚厚三本《追忆似水年华》，他打开第一页：

"在很长一段时期里，我都是早早就躺下了。有时候，蜡烛才灭，我的眼皮儿随即合上，都来不及咕哝一句：'我要睡着了。'"萧孟突然被不可抗拒的困意击倒，他合上书，对自己说，没关系，以后总有时间，把它一口气读完。后来，他就睡着了。

第二个

二〇〇八年十月十八日 纽约

王明峰都已经在楼下按门铃，林奕还跟袁萌说："要不……要不我还是别去了……"她上半身换好灰色衬衫和黑色套头毛衣，下面却还穿一条蓝底红樱桃睡裤，脸上化了一半妆，粉底没有涂匀，唇膏溢出嘴角，头发编了一半又散开，好像和她一样在放弃和奋斗之间摇摆，犹疑不定。

袁萌已经收拾妥当，靠在窗沿上喝咖啡，她们住在14街，二十八楼，如果站在一个刁钻正确的角度，能远远看见华盛顿拱门。窗口正对的那套公寓里住着一个犹太老男人，早上七点到晚上十一点，永远穿着黑西装坐在一部老式打字机面前；过了十一点，他拉上厚厚窗帘，可能睡觉，也可能裸体吃楼下墨西哥餐厅的玉米薄饼。袁萌说，那大概是个作家，在写一部旷世巨著，于是她们经常花 2.5 美元买《纽约时报》，想在书评版上看到他的照片，然而并没有。纽约和哪里都一样，看起来充满希望，奇迹却又从不发生。

王明峰拿着一饭盒叉烧包进来，应该是特意去了一趟中国城。他三十岁，是一个极为正常的三十岁男人，正在用极为正常的方式追求林奕，算不上用心，却也不能说他不用力。王明峰请她去小东京吃海胆盖饭，约她看《歌剧魅影》，希望她作为 Plus-one 参加今天这次秋游。

林奕愿意吃海胆盖饭看《歌剧魅影》，在睡不着的深夜，她甚至愿意和王明峰聊两个小时 QQ，聊到最后，两个人连表情符号都已经发完，走投无路只能下五子棋。但她拿不准自己是不是愿意作为 Plus-one 参加今天这次秋游，好像这样就有种确定无疑摆在前头，而她并没有确定无疑。

最后还是去了，在吃了两个叉烧包，王明峰又坐在沙发上目光炯炯看她化完妆之后。因为有露营的行李，三个人打了一部出租车，并排坐在后面，有一种古怪的亲密感。车沿着 Broadway 往上城走，早上八点的纽约，昨晚下了一场雨，路面的垃圾和银杏叶浸在淋淋水气里，街口总有一栋正在维修的高楼，人行道上搭着铁架，每个人都面无表情，从架子下走过。

车停在 72 街的红灯前，王明峰终于找到话题："你们快看，铁架上有只猫！"三个人齐齐转头去看那只小小的黄花猫，正在架子上四处窜走，像追逐一只并不存在的蝴蝶。王明峰没有什么不好，要认真找出他的好，却也不太容易。林奕还有

几个追求者，但他们也不过是王明峰的复数，林奕懒得和复
数打交道，所以她现在只和王明峰约会。

集合地点是 116 街和阿姆斯特丹大道的交叉口，大部分
人已经到了，约的时候有十个人，朋友带朋友，大家并不都
认识，在一团混乱地互相介绍之后，有个人说："大家再等等，
还有个我中学同学，买肉夹馍去了。"于是每个人都呆呆站在
路边，等一个肉夹馍。天空还没有从上一场大雨中痊愈，显
出沉沉蓝灰色，刮不怎么明确的风，王明峰问她："你冷不冷，
有没有带外套？"林奕点点头："我带了风衣，在包里。"在
旁人看起来，也就是标准情侣的样子。

肉夹馍到了，也穿一件黑色套头毛衣，灰衬衫领翻出来。
好像是他，不怎么确定，因为近视，也因为时间。他上一次
出现时正是盛夏，穿一件教育超市里十五块钱买的黑色 T 恤，
汗水干了又湿，背上有一块心形印记，他们躲藏在一棵六十
年的梧桐树下，树叶亭亭，她却还是打着太阳伞。她知道他
隔着伞看她，她故意不去看他，即使到了晚上，两个人隔得近，
她也没有看清他的样子。那天她眼睛发炎，没有戴隐形眼镜，
她近视不过一百五十度，就没有戴框架眼镜，但又有一百度
散光，那个晚上眼睛失去焦点整个散开，黑暗中有层层爬山
虎的轮廓，月亮旁是淡黄光晕。

有人介绍："这是萧孟，哥大的理论物理博士……好了
好了，人总算齐了，大家快上车，不然下午两点才能吃到午

饭……"萧孟隔着五六个人看见林奕，点点头，但他对每个人都点点头，没有明确表现出是不是认出她。

林奕突然后悔，自己这几年把头发留到齐腰，又拔了眉毛画了眼线，上一次见面她只涂一点妮维雅防晒，看书眯起双眼，当然她也知道，如果一个人认不出另一个人，和这些统统没有关系。等萧孟吃完肉夹馍上车，只剩下王明峰边上还有一个座位，袁萌和一个刚开始互相试探的男人坐在另一排，萧孟坐下来，拿出一本《三体》，没有看只隔一个人的林奕。

秋游是去纽约上州的 Catskills 看红叶，那辆别克先沿着哈德逊河一路往北，又渐渐往西开出一道曲线，最后上了 17 号公路。车内非常沉默，每个人都在专心发呆，盯着窗外一条怎么往前开都摆脱不了的小溪，又看小鹿快速穿过那些鲜红的槭树林，车窗半开，风声混合车噪，让开口变得有点滑稽。

但王明峰是一个擅长滑稽的人，这几乎是他最可爱的部分。联合广场上有中国人打太极拳，面前放一个小铁桶收钱，王明峰会兴高采烈对林奕说："你知道吗？我小时候练过咏春！"然后他就在青天白日下打了一套完整的咏春，林奕惊恐地四处张望，生怕遇到熟人。中国学生的迎新 Party 上，一群陌生人因为"中国人"这唯一的共同点被凑到一起，场面冰冷，王明峰却突然建议："要不我们每个人上台表演一个节目吧？林奕，你唱个王菲怎么样？"当然没人表演节目，大家聊了一会儿美国大选，开始拿着纸盘子排队取饺子，王明峰排在林奕后面，他吃了起码三十个茴香饺子。

车开到更静的地方，穿过大片金黄的山毛榉，隔老远会在路边出现一个木质邮箱，大部分人睡着了，起码是装出睡着的样子，车在山道中剧烈转弯，也没人肯醒过来。只有王明峰清醒白醒，在几次想和林奕讨论窗外风景都没得到响应后，终于转向了另外一边："在美国读理科博士难不难啊？"

萧孟关掉那本只翻过去几页的书，认真想了想，才说："还行吧，不会比文科博士更难……我认识一个在哥大读政治学的，已经读了十二年了，中间他老婆生了两个孩子，一男一女。"

"你们读完是找什么工作？进高校？"

"不好找工作，美国大学不好进，又没想好要不要回国，我打算继续读 个博士后再说。"

"你真能读，我们就是来读一个 LLM，也就一年，都觉得快熬不下去了，作业太多，天天在图书馆待到两三点。"王明峰指指自己和林奕，"公司让读的，希望我们能考到纽约州的 Bar 再回去，有些跨国业务好处理。"林奕没法再装作沉迷于车窗上趴着的二十八星瓢虫，她转过头，对萧孟笑了笑。

萧孟也笑了笑，一种完全看不出他是不是认识林奕的笑，然后说："多好，你们不用担心工作问题，学费是不是公司也报销了，一年得八万吧？"

"七万多，加上生活费就十万了，公司出 70%。"

"那也很好了，七万美元哪怕在纽约也是笔巨款。"

再这样下去，他们大概会讨论到纽约房地产市场和人民币汇率波动，但车陡然停了，停在一段剧烈上坡路的底端。林奕没有系安全带，猛地撞在王明峰身上，他紧紧扶住她，连忙问："撞到没有？给我看看，到底撞到没有？"林奕没有撞到，但她感谢王明峰，在一个窘迫到想跳车的时刻，他莫名其妙为自己挣得一点安然坐在原地的尊严。

开车的人尝试了几次都没能再打上火，转头说："完了，点火线圈坏了。"没人听得懂什么叫点火线圈，但大家都慌了，几个男人轮流打开车前盖，像模像样研究了一阵，最后都迅速放弃，萧孟作为物理系博士被所有人寄予厚望，但他说："我根本不会开车，在纽约需要开什么车？"

有人联系上租车公司，他们愿意另外派一辆车过来，但大概得八个小时以后才能到。八小时，几乎就是从纽约去了尼亚加拉大瀑布，还能路过千岛湖，但有个确定无疑的时间摆在前面，大家轮番抱怨了一通后，也就这么接受了。男人们把车推到应急车道上，女人们坐在路旁一棵巨大橡树下休息，偌大草地，只有这么一棵孤零零的橡树，满地橡果。小溪在二十米外，已经有人拿出单反相机拍照，像这里是特意抵达的目的地。袁萌补了补唇膏，毫无预警地问林奕："你和那个物理博士是怎么回事？"

林奕紧张起来："什么怎么回事？你什么意思？"

"算了吧，你看看自己的脸……王明峰是瞎了才看不出来。"

　　林奕把她拉到水边，溪水清明，水底有银黑色小鱼浮浮沉沉，她从水中看见自己惨白的脸，五官僵硬，因为一直想保持微笑。她问袁萌："真的那么明显？别人都看出来了？"

　　"不相干的人你管他们看出来没有干什么……到底怎么回事？前男友？"

　　"不是，就是以前认识的一个人……我也说不清楚……就是跟你提过的那个人。"

　　同居室友总需要说点什么，在把所有前男友都交代完毕后，林奕对袁萌含混地提起过一次萧孟，含混是因为她想不出用什么方式，才可以精确描述和萧孟的那个夜晚，也是因为她喝醉了。大半夜，两个女人喝多了楼下买的 Fonte Moscato Spumante，3.99 美元一瓶，一股桃子和杏子熟透的甜味，酒精度只有 7%。但她们都喝醉了，坐在窗沿边看凌晨两点的纽约，救护车和消防车轮番鸣笛而过，二十八楼都听到楼下有流浪汉砸碎啤酒瓶，曼哈顿从来没有沉默不言的时刻。

　　林奕也说不出什么，因为的确没有什么：有个男人，毕业前几天，我们一起过了一个晚上。不不不，不是那种过了一个晚上，和那种还有十万八千里，只是在黑暗中一起走了两个小时的那种过了一个晚上。两个小时，吃了一袋子葡萄，葡萄很甜，我们都觉得很甜。聊了几句天。聊了什么？想不起来了，真的完全想不起来了。就是这样？就是这样。手指头都没有碰过。哦，也许碰过胳膊，过汉口路的时候有辆桑塔纳开得太猛，他一把抓住我。就是这样？就是这样。真的，就是这样。他什么都没有说过。我？我当然什么都没有说过。我能说什么？后来？没有什么后来。后来大家都毕业了，我们又没有留任何联系方式，电话、邮箱、QQ、MSN，真的，什么都没有。当然，他想要知道的话，总是很容易就能知道的，一个人不会真的和另一个人失散，如果他有心不想失散，你说是不是这样？

林奕喝光杯子里最后的酒，她伸伸懒腰，说："我不行了，要吃碗面醒醒酒，你吃不吃，我下午买了海鲜味的辛拉面。"后来她们就煮了泡面，放两根玉米肠，再加一个台湾卤蛋，面汤浓郁辛辣，覆盖那些过于寡淡的回忆。

袁萌看远远正在抽烟的萧孟，说："那他是怎么回事？装死？还是没认出你？"

"有可能。"林奕想了想，"很有可能。没什么理由一定要记住，你说是不是这样？那个晚上……什么都算不上。真的是这样啊，什么都算不上。"她的声音渐渐往上走，不知道是突然生起气来，还是终于确定一个让人刺痛的答案。萧孟浑然不知这些，他抽完烟，又在草地上坐下来，继续看他那本没有怎么翻动的《三体》，隔着五十米距离，他的黑毛衣在灰色天空下更显深沉，林奕希望那是一个陌生人。

八个小时比想象中更难熬一些。到下午五点，十个人已经交流完房子地段、医疗保险、毕业论文、是否回国、预计起薪、中美关系等等常规问题，所有零食都快吃光了，包括五盒卤鸭头鸭翅和三大包恰恰香瓜子。一箱啤酒喝掉一大半，王明峰大概醉了，几次试图把手放在林奕肩膀上，或者许久许久看着她，像他真的爱上眼前这个姑娘那样。

林奕知道，并不是这样，不过是酒精让他觉得必须做点什么。生活有大段没有边缘的空白，恐慌之下，我们都会下意识想往里面填点什么，以逃避那些让人焦虑的虚空，但那不过是更多虚空。

林奕不显山露水地躲过这些，要不起身打电话，要不拉着袁萌走十五分钟到老远的地方撒尿。森林幽深，大片大片柿子树和三角枫，枫叶黄极而红，正是预想中秋天的样子；阴了一整天，最后时刻出了太阳，光透过缝隙，照出落叶脆薄，脉络清晰，像某种不可能破译的密码。袁萌真的顺便撒了尿，用一瓶子矿泉水洗完手后，又从风衣口袋里拿出一袋软糖，说："王明峰终于看出来了？急于宣告主权吧他？"

林奕说："不可能。他既没那么聪明，也没那么无聊，还有，我也没那么重要。"

袁萌吃掉一颗粉蓝色心形软糖："今天真热闹"。

"没什么热闹的，另外两个人可能什么都没有感觉到。"

"我本来以为今天是个 big-day 呢，好像你会跟王明峰确定关系似的。"

　　林奕挑出一颗玫红色花朵软糖，笑笑说："现在也有可能啊，为什么不？"然而她心里分外清楚，不，这件事永远不再可能。她一直以为自己只是犹豫，原来不是这样，原来犹豫不过是一个婉转的"不"，现在她失去了婉转的最后理由，她终于得独自面对那片虚空。

　　啃完最后一包盐焗鸡爪，有人建议玩真心话大冒险。手上没有别的道具，只能转啤酒瓶。王明峰是第一个被转到的人，他选了大冒险，一堆什么都不知道却善于起哄的人要求他和林奕喝个交杯酒，林奕考虑了半分钟，也就喝了。脸对着脸的时候，她低下头，没有看王明峰的眼睛，把那半瓶德国黑啤一饮而尽，Paulaner 凄苦浓烈，她皱皱眉头，又找袁萌要了一颗糖。

　　林奕并没有糊涂。何必当众让王明峰难堪呢？反正自己知道将会发生什么，反正自己知道再不会发生什么。王明峰是个不坏的人，可能他说不上多喜欢自己，可能他的追求只是出于无聊，但他毕竟真的如此慷慨，在这个时间和这个城市，给了自己一点点慰藉。

　　至于那些不相干的人，林奕想，他们是不是误会，又有什么重要？萧孟没有跟着大家起哄，这大概是因为他和这些人都不熟，他只是一直微笑着看这件事发生。林奕想，这个突然冒出来的人，他是不是误会，也不重要。

　　第五轮之后就开始中邪，换了三个啤酒瓶、不管谁转都固执地停在萧孟面前。他一直选真心话，但大家都跟他不熟，并没有人真的关心他的个人生活，又都害怕冷场，只好故意越问越下流。下流是一张得体的遮羞布，遮住尴尬与疏离，每个人都安全地藏身于后，无须面对任何对内心世界的追问，像战时外面有隆隆爆炸声，他们却坐在防空洞里吃盐水花生。

天渐渐黑下去，头顶有星，云遮住月光，有人从车里找出两个巨大的手电筒，两束白光直直照上天空，让每个问题都像背后藏着阴谋诅咒。

"睡过外国女人没有？感觉怎么样？"

"睡过。真心话是不是一次只需要回答一个问题？"

"睡外国女人什么感觉？"

"没什么感觉，喜欢的就会喜欢，不喜欢的就会不喜欢。"

"什么样的会喜欢？"

"皮肤好，身材不夸张，话少。"

"在纽约是不是睡了很多个？"

"总有几个吧，不然我这些年怎么过？"

"睡的中国女人多还是外国女人多？"

"外国女人多。"

"为什么？"

萧孟本来回答每个问题都迅猛得像是胡扯，唯有这个他想了想，然后说："因为和中国人在一起，就太像是认真了。"

轮到袁萌转啤酒瓶，她看起来用尽全力，那个细长玻璃瓶疯狂转了十几圈，最后众望所归，又在萧孟面前停下来。袁萌笑笑，说："下半身问题都被你们问完了，我问个上半身的……物理博士，这么些年，你有没有什么后悔错过的人啊？"

刚才萧孟回答问题的时候，林奕已经全程装死，故意和王明峰窃窃私语，说一些她两分钟后就忘记的琐碎事情；到袁萌这个问题，林奕只希望天色骤变，落下暴雨，浇灭这场荒唐而让人挫败的游戏。然而天空稳定，风吹过云彩，露出渐缺满月，正当林奕准备伪装成接电话的时候，公路上突然有车停下，对着这边猛打双闪，萧孟站起来说："车到了，收拾收拾回去吧。"也没什么可收拾的，一堆垃圾装在一个黑色塑胶袋里，每个人拿好自己物品，收户外毯的时候，林奕看见溪水隐约有光，黑夜中那棵橡树显出轮廓，像一个长到天上的"不"字。

林奕率先上了车，一个人坐在副驾驶上，她跟大家解释，刚才多喝了一点啤酒，怕晕车吐出来，坐副驾驶能舒服一点。萧孟不知道怎么又和王明峰坐在一起，林奕隐约听到，两个人聊了一路世界杯，等车又回到曼哈顿上西区，他们似乎已经熟到应该交换 MSN 了；但分别的时候，并没有人真的提出这件事，这也不奇怪，毕竟太多应该的事情，都没有发生。

大家草草散了，甚至没有人提议要一起吃晚饭。林奕和袁萌商量了一下，决定先打车去韩国城吃饭，在慌乱冰冷的一天后，两个人都格外想吃点肉，王明峰和他们的住处只隔两个街口，自然上了同一辆车。周末晚上十点，司机换了几次路线还是堵在林肯中心附近，百老汇路在那里有一个奇异的弯曲，他们就堵在那里。公园大道和百老汇路在中央公园的西南角交汇，再往南走，两条路会越来越远，曼哈顿下城也不再有公园大道。

林奕盯住右前方的巧克力店橱窗看了许久，开口对王明峰说："我们以后还是不要周末出去了。"

袁萌赶紧戴上耳机听歌，而王明峰，在经过了交杯酒和黑暗中的私语后，他当然吃惊："为什么？"

"我觉得这样不对。"

"怎么不对？"

"为了有人约会，就出去约会，我觉得这样不对。"

王明峰沉默了一会儿，才说："所以你这算是拒绝了？"

"……可能算吧，但说实话，你也没有给我正式提出过offer。"

"我每周约你还不算提出过offer？怎么才算提出过offer？在帝国大厦楼顶跪下来表白？"

"不不不不……你知道我的意思，你对我……也不过是这样……不不不不，你对我很好……我是说，你的心里也不过是这样，是不是，你知道我在说什么，是不是？"

王明峰摇下车窗，点了一支烟，过了很久才说："……是，我知道你在说什么……但我本来以为这样也就算够了，你……"

不，我们，我们还想怎么样？"

　　林奕说："也给我一支烟……我也不知道啊，不知道想怎么样，但肯定不是我们如果要这么往下走的样子吧……这样还不如哪里都不去呢，你说是不是？"

　　后来没有继续聊下去，好像该说的话也就在那一支烟的时间里说尽了，袁萌摘下耳机，若无其事和他们讨论起路况。大家都若无其事，而且看起来丝毫不是勉强。三个人一起去吃了烤肉，找到一家米其林一星店，深夜里不用排队，王明峰细心烤出略带焦香的猪五花，五成熟牛排，刚刚卷边的鲜牛舌，最早铺在烤盘边上的一圈土豆和红薯片浸透荤油，每个人都吃了两碗白米饭，王明峰拿出信用卡买单，林奕看见他签了 20% 的小费。最后回到家里，连袁萌都忍不住说："其实挺不错的，这个男人……"

　　林奕瘫倒在沙发上，说："是的，真是挺不错的，我很有可能会后悔。"

　　"后悔了怎么办？"

　　"不怎么办，后悔的事情太多了，来不及怎么办。"

　　四年里林奕当然也有过男朋友，只有过一个，持续一年半。赵霄云是公司楼上另一家小公司的老板，刚创业，他总十点还去楼下星巴克买一杯特浓；林奕也加班，时常在电梯里遇到他，瘦高苍白，穿一件团得稀皱的格子衬衫，双眼通红，长出青青胡茬。

有一天他出电梯前犹豫片刻，对林奕说："你好，我叫赵霄云，在十五楼上班。"又过了一个月，他成了林奕的男朋友，他们还是都加班，但两个人不管谁想起来吃晚饭，都会给对方多叫一份外卖，饭里加个卤蛋，在一栋半夜十二点还须要等十分钟电梯的大楼里，这就算得上浪漫。女同事真真假假羡慕林奕，因为赵霄云正在"创业"，似乎光是这两个字，就意味着一种不敢随意估量的前程。

赵霄云在方庄有一套房子，空荡荡的三室两厅，沙发上有一只不知道哪次参加活动送的QQ企鹅。林奕第一次去，换一双42码男式拖鞋，怯生生把化妆包放在卫生间的小角落里，洗澡间铺满黑色马赛克，衬得她浑身上下一片惨白。她拿不准应该穿什么走出去，就里里外外都穿好，内衣衬衫小开衫牛仔裤，走到客厅发现赵霄云也浑身整齐，衬衫扣到最上面一颗纽扣，导致后来两个人一一脱下来时颇花了一点时间。

她没有告诉对方自己是第一次，不想这件事会在哪怕最细小的地方影响两人关系，赵霄云也不熟练，在几次尝试失败之后，他起床喝了罐冰可乐，好像用那些气泡给自己打气。房间靠着三环，深夜里大货车轰隆开过，赵霄云嘴中有可乐的蜜甜香气，林奕在那股香气中闭上双眼，她觉得不适，却决心解决这种不适。

　　慢慢也就习惯了。刚开始他们只是每周约会一次加过夜，后来出去约会让两个人都觉得累，林奕就退掉自己租的房子搬了过去，在衣柜里拥有三分之二空间，卫生间里摆上正常规格的洗浴和护肤用品，两个人的电动牙刷紧紧靠在一起，漱口杯是一对接吻的鱼。

　　再后来他们分手，在某个四十度的夏天，林奕穿白色吊带裙找了一天房子，下午七点才发现忘记穿内衣。回到赵霄云家最后一次用他的浴室，黑色马赛克反射出橙黄灯光，她看见自己的身体被晒出两种颜色，像一匹偷工减料的斑马。搬家的感觉糟透了，仓促中找到的房子窗缝漏水，在那年北京最大的一场暴雨中，水淹没沙发脚，厨房里没来得及收拾的垃圾满地漂浮，像是要逃往鬼知道什么远方。她在小区边上的汉庭临时住了一晚，水退下去的第二天，地板上留下怎么也擦洗不掉的灰色水印，她开始跟着中介去看二手房，只拿得出不到二十万首付，她宁愿住到很远。

　　她再没有见过赵霄云，哪怕是晚上十点楼下的星巴克，原来一次不成功的恋爱会挥霍掉两个人所有缘分，如果你硬要用"缘分"这个词语的话。但总有人装作无意告知他的近况：拿到 C 轮风投，换了一辆宝马 7 系，公司搬到大望路，终于到了最后一招，他结了婚，老婆长得很美，是中学英语老师，结婚戒指是卡地亚，起码一克拉。

　　人人都觉得林奕应该后悔，她也疑惑过为什么自己并没有后悔。想起赵霄云的时候，她只能想到他们确定关系那天去吃铁板烧，空调开得不够，他用汗津津的手在桌下抓住她的，从前菜沙拉一直到最后一道蛋炒饭，买单时他松开手，把信用卡放回钱包，然后又牵上来。温度并不太高，但气压极低，两个人都满脸油汗，很是狼狈，那个晚上因为这种狼狈，才一直闪着光。但也只有这些，往事没有重要到想刻意忘记，只是真的没法想起。

　　林奕打算烧一壶咖啡，熬通宵把 paper 写完。等待咖啡沸腾的两分钟里，她看见对面窗口的犹太男人，今天没穿那套永恒的黑西装，换成一身枣红色灯芯绒的便装西服坐在沙发上，那种枣红极为难看，他又几乎秃了，坐在那里无端端让人担心，好像整个世界的嘲讽会蜂拥而至。

　　肯尼亚咖啡滚烫，林奕喝下一口，竭力让自己不要回想这一天，以躲开让人痛楚的羞辱感。她后悔给袁萌讲过这个故事，让这种羞辱暴露于他人目光之下，如果她没有跟任何人说起过萧孟，那她就可以对自己说，我也忘了。连做过起码一百次爱的赵霄云她都几乎忘了，她当然可以忘了萧孟，他们之间又没有肉体记忆，而不曾落到肉体层面的情感，理直气壮应该被人忘记。

　　在房间里写了一千字美国宪法第一修正案，不过是秋天，林奕却觉得冷，手脚冰凉。咖啡渐渐失去温度，房间里空有一股肃杀之气，林奕关上窗，还是觉得冷，而且更添沉闷。突然响起门铃声，大概是袁萌订了楼下的墨西哥玉米卷饼，蘸鳄梨酱，林奕也觉得饿了，想让他们再送一份牛肚卷饼，也许可以再加一份墨西哥烧牛肉，里面有大量蒜头和咖喱，剩下的汁明天中午煮一锅白米饭，烫个青菜就又是一顿。

走到客厅，她没有看见打五个耳洞的墨西哥小姑娘，她看见萧孟。还是穿白天那套衣服，背白天那个双肩包，满脸通红，像从116街一路跑到14街。

林奕愣了一会儿，才说："你要不要喝咖啡？我刚烧的。"

萧孟还是站在那里说："好的，麻烦给我加两块糖。"

林奕却没有去倒咖啡，这两句对话像根本没有发生。她又愣了一会儿，说："你……怎么能找到这里？"

"我问了人。"当然，他问了人。曼哈顿有八百万人，而一个人找不到另外一个人，只能是他们并没有开口去问任何人，除此之外，别无可能。

林奕渐渐藏不住笑意，冰冷的四肢恢复知觉，像新烧咖啡一般滚烫的血液轰隆流过，她理理辫子，问："那你……你来干什么？"

萧孟大概在等待这个问题。他把双肩包放在沙发上，指指缩在沙发一角，又想装死又舍不得死的袁萌说："我啊……我来回答你室友下午那个问题。"他顿了顿，看着林奕的眼睛说："有的，当然有。"

袁萌尖叫一声，说："天，你们快来看！"她震惊地指着对面，还是那个犹太老男人，还是那套难看极了的枣红色西服，还是一个秃顶，但他边上坐了一个人，一个女人，穿一条同样难看极了的花绵绸连衣裙，露出白胖小腿，她起码五十岁了，头发鲜红，涂着这么远看过去依然触目惊心的鲜红唇膏。他们就那么坐在沙发上，一人拿一包薯条，直直盯着电视。

萧孟很疑惑："看什么？什么意思？"

林奕笑起来："以后再告诉你。"她走进厨房热咖啡，只觉浑身轻轻，好像可以漂浮行走在第七大道上。窗外依旧有警车消防车鸣笛而过，喝醉酒的流浪汉依旧砸碎啤酒瓶，曼哈顿 如既往混乱无情，谁都没有注意到，在高楼上面对面的两扇小小窗户里，各有奇迹，同时发生。

第三个
二〇一二年七月二十一日 北京

二十号下午三点，萧孟给我发短信，说他今天没法过来，让我下班后过去，在清华南门那家"醉爱"等他吃饭。我不喜欢"醉爱"，板栗烧鸡里的鸡铿锵有声，苦瓜酿肉不知道为什么用黄豆和榨菜打底。但我没有试图讨论这个话题，我回他"好"，然后继续开会。中央空调大概开到十六度，我穿一条灰色窄身真丝裙，大腿上的皮肤冻成青灰色，穿了一天高跟鞋，小腿上暴出青筋。我有点不高兴，但那种不高兴迅速被习惯稀释，就像刚才咖啡里不幸掉进去两根眼睫毛，我轻微觉得恶心，却还是喝了下去。窗外雾霭沉沉，从二十五楼望出去只有茫茫灰色，都说快有一场暴雨。

按理这周应该他过来，上周我已经去过了，五点出发，七点半到醉爱，吃了铿锵有声的板栗烧鸡。吃完饭后我们都开着自己的车，回到他在北五环边上的房子里，我的凯美瑞跟住他的蓝色天籁，这条路我熟得不能再熟，能记住每一家沙县小吃和兰州拉面，却还是在某个路口跟丢，他在变灯前几秒突然加速冲过去，我却留在原地等那个长达九十秒的红灯，就这九十秒时间，我被牢牢堵在五环上，比他晚到家四十分钟。

进屋时他已经洗完澡，正躺在沙发上看电视。我们都不喜欢看电视，但周末在一起，我们总是一直开着那台巨大的索尼。因为懒得装机顶盒，屏幕上颗粒粗糙，颜色过分鲜艳，比例不对，每个女明星都有粗壮小腿。但我们还是会坐在沙发上看好一会儿，不知道从什么时候开始，我们渐渐需要背景声音。

回国后萧孟赶上一个学校分配保障房的好时机，房子有一百二十平方，装修的时候他一天给我发五六十条彩信，事无巨细地商量：油画抱枕选梵高还是莫奈，床头柜上的台灯用多少瓦灯泡，煤气灶下需不需要装大烤箱。我正在没日没夜和一个跨国公司谈合同，开会中间每隔一个小时都要去一次卫生间，然后躲在隔间里迅速做出决定：抱枕要蓝色鸢尾花，台灯不能超过四十瓦，暖黄灯泡，当然要装烤箱，我会做香茅草烤鸡，肚子里塞满苹果。萧孟在我的每一个决定下说：好的，听你的。

房子装出来我们都很满意，客厅大落地窗正对小区里的柿子树，初冬结满橙红果实，深夜里我们拉开窗帘，偷偷在窗边做爱，柿子熟透了，"啪"地掉下来，是凌晨三点唯一的声音。在一起的前面两年，我们总在凌晨三四点做爱，有时候是一直没睡，有时候是半夜醒过来，不知道谁突然主动和对方接吻。整件事情会在三分钟之内启动，冬天渐渐真的是冬天，市政供暖烧得太热，我们赤裸着身体来到客厅，躺在我亲手挑选的墨绿色布艺沙发上，他的身体覆盖上来，像一张尺寸正合的柔软毯子。

萧孟以为我必然是会搬过去的，我也以为这是迟早的事情，但不知道为什么，我一直没有搬过去，还是住在自己那套六十平米的小房子里。厨房出去有一个小小阳台用来晒衣服，客厅里挂我喜欢的爱情电影海报：《安妮·霍尔》、《甜蜜蜜》、《当哈利遇上莎莉》。萧孟替我解释："的确太远了。"我也就顺着说下来："真的太远了，每天上下班开车要花四个小时，要是坐地铁，得转三次线。"

　　距离是一个得体的理由，掩盖我们自己都不曾细看的疑惑。后来我们达成了某种从未认真说出口的协议，轮流去对方的房子过周末：周五下班出发，周日晚上回去。当然总是我过去的时候稍微多些，萧孟的房子更大更舒服，他又正处于评副教授的关键期，要用学校实验室，哪怕现在正是暑假；而我的工作，就像萧孟说的那样，拿着笔记本在哪里都差不多。其实并不是在哪里都差不多，我也有一堆资料放在家里，但我想到他为了和我在一起，放弃已经申请到的博士后项目；又想到那些在下半夜做爱的夜晚，窗外冰冷而室内灼热，我从来没有和萧孟争辩过这件事，我把资料分门别类，都装在后备箱里。

　　今天四环没有想象中堵，六点十五分我就到了醉爱，但七点半萧孟才出现，他解释说，手机被锁在办公室，他在实验室里又忘记拿钥匙，所以一直没办法通知我。我没说什么，开始吃他点的板栗烧鸡，萧孟对这道菜有一种执着而不知所起的爱，我疑心他只是习惯了，他习惯于习惯这件事，我没有习惯，但我还是吃板栗烧鸡，挑里面带皮稍软的部分，仔细避开鸡脖子。

　　正吃第二碗饭的时候，萧孟问我："你们老总最后定了没有？"

　　公司正在考虑升一个人做法律总监，这件事已经说了一阵了，迟迟没有定下来，像一个悬挂在前方的胡萝卜，因为挂太久，早已让我失去兴趣。所有悬而未决的胡萝卜都让我失去兴趣，从工作，到爱情。萧孟时不时会问我这件事，就像我时不时会问他下一篇打算发表的论文，我们都没有找到别的办法，表达对对方事业的关心。

"应该快了，都说是下个月……今天管法务的副总找我去谈话，看起来差不多是我。"我招手买单，萧孟没有再接话，好像他今天的关心额度已经用光了。我想了想，决定等回家各自洗澡后再关心他的论文，这样起码有半个小时的时间，他可以给我解释某个我必然会忘记的物理学问题，而不是和我坐在沙发上，间歇冷场。盛夏，萧孟永远把空调开到二十一度，洗过澡后走到客厅，刚好对住风口，强风带走皮肤上剩余水滴，整个夜晚我都浑身冰冷。

搞不清楚冷场是从什么时候开始，就像我和萧孟多次把中间四年细细筛选，依然找不到一个标志着我们"相爱"的准确时间。似乎就在砰然之间，我们从只见过一面的陌生人，到每晚把手机打到滚烫，又是砰然之间，再到轮流向对方提出三个常规问题："晚上吃的什么？"、"你今天怎么样？"以及"有没有想我？"。

萧孟没有爱上别人，我心里很清楚，因为我也没有，如果有哪个周末需要出差，见不到他依然让我感觉煎熬，但电话接通，我们又绕回那三个问题。我们还是每周做爱，周五一次，周六一次，周日早上可能再来一次，探索各种姿势，购买情趣用品，对方身体的每一点缺陷都变得不可取代，高潮来临时，我习惯性摁住他右边肩膀的红痣，但有些改变还是发生了，不可逃避，没有原因。

我没有和任何人讨论过这个问题，包括萧孟，我不想听到他们——尤其是他——潦草地说："哦，这样啊，是这样的，都是这样的。"我一度充满斗志，想和"都是这样的"来一场硬仗，但渐渐的，我疑心这种斗志会让我显得可笑，我只是个税前年薪二十五万的普通白领（据说升职后会涨到四十万），在北京有套小房子（东五环外，楼下正在修地铁，据说要升值），有一部车（凯美瑞，想买奥迪 A4）。我并不打算当通州堂吉诃德，所以我不发一言，默默取消战斗模式，继续坐在沙发上冷场，空调太冷，我腿上搭一条薄毯，观察萧孟的侧脸。没有错，是这个人，鼻子是我熟悉的温柔弧线，睫毛老长，眼睛明亮，因为疲惫有深深黑眼圈。我爱他，包括黑眼圈，我不过是再没有什么话需要对他讲，我的爱没有水分，却漂浮于茫茫水上，徒劳地寻找一个并不存在的着陆点。

睡前我们还是做爱，在藏蓝色床单上，萧孟做爱的时候会把空调开到十七度，在他没有将身体覆盖上来时，我裹紧被子和他接吻，我们的性生活并不敷衍，每次都有充足前戏。吻了一会儿，我们都觉得差不多了，他打开床头抽屉，翻出一个冈本 003 的盒子，但里面空了，又翻出一个杜蕾斯超薄，还是空了。

我们都停下来，他问我："怎么办？今天是安全期吗？"

我想了想："不算特别安全，怎么办？"

"要不我出去买？门口药店好像二十四小时的。"

"算了，好麻烦。"

"那怎么办？"

两个人都是懦夫，反复问对方"怎么办"，都不敢说一句"随便了，怀了就怀了"，哪怕事后偷偷吃毓婷。还好我突然想到，上次逛街遇到品牌搞活动，一个巨大的安全套行走在朝阳北路上，给每个人发了一个小塑料盒，我裸体跳下床，在手提包里翻出来：粉红色外包装，牌子叫"男子汉"。我们用了那个"男子汉"，在习惯了冈本和杜蕾斯超薄之后，"男子汉"显得粗糙和扫兴，但我们毕竟坚持完成了这件事，两个人都抵达软弱的高潮，在又一个周末。

萧孟抽了一支烟，然后慢慢软下去睡着了。半夜我起床喝水，窗外极黑，仿佛有风，我试图寻找柿子树的轮廓，好像看清了就能下一个让自己都害怕的决定。这几年我的散光一路涨到三百度，万物的轮廓渐渐散开，我什么都不可能看清。过了一会儿，我又睡下去，靠着萧孟的左手胳膊，他依然裸体，事后没有洗澡，身上是我熟悉的微酸汗味，我抱住那点酸味，那味道是黑暗中唯一的光。

睡到十点，萧孟坐在书桌前工作，天色阴沉，他还是拉上窗帘，开一盏我给他买的柞蚕丝台灯，米色灯罩上绣两只比翼双飞鸟。走到餐厅，看见他在桌上留着一碗白粥，配玫瑰腐乳和雪菜毛豆，洗了一小玻璃碗樱桃。我为半夜那个含糊的决定感到罪恶，吃完饭走过去蹲在他腿边，拉住他的左手，又故意眼巴巴看着他，说："好像要下雨了，那我们下午还去不去看麦兜？"

这算是我们之间的暗号，只要我用这个姿势拉住他的手，再这样看着他，萧孟就会停下手上的事情，把我抱在腿上。我一毕业就瘦了快十斤，体重一直稳定在那里，他却胖了十斤，因为时常健身不怎么能看出来，缩在他怀里，我习惯性摸他腰上那一点点赘肉。

他果然停下来抱住我，说："去也可以……但是我今天有点忙。"

我想抓住这个早晨的一切，这一点点暗中的温柔，怕天光渐亮，我们又回到昨晚，连忙说："没关系，那就不看了，我也懒得出门，冰箱里有菜没有，我随便做点什么好不好？"

我在冰箱里找到一盒排骨和两把小油菜，打算中午烧一个糖醋小排，晚上再用冷饭做一个上海菜饭。有半年多时间我们都在纽约，哪里都不想去的周末，两个人在家就是这样过一天。我搬进他在上西区的 studio，房间窄小，但有一扇大窗正对哈德逊河；只有电磁炉，又不敢起油锅，我变着法子做炖菜和蒸菜，任何蔬菜都白灼后洒一点蒸鱼豉油，没有餐桌，我们坐在地板上，用宜家的红色小茶几吃饭。饭后我们去河边散步，带上一盒我在中国城买的卤鸭翅，卤水里放了太多八角和桂皮，啃到最后略微恶心，两个人用油乎乎的嘴接吻，我小心地把手肘放在他肩上，怕弄脏他的蓝色衬衫。

在纽约我们连帝国大厦都没有一起去过，因为并不觉得一定需要安排什么节目，大部分时候我们待在113街到116街之间，曼哈顿大得像整个宇宙，我们却只需要三个街区。后来回到北京，我渐渐习惯在上一个周末就安排好下一个，电影话剧音乐会美术展，每年出国一次，休掉年假，花两三万块钱，筋疲力尽再回到北京，下飞机后一人打一部出租车，回到各自房子。我确信我们回到家的时候，两个人都松了一口气。

萧孟夸糖醋小排做得入味，又问我在哪里找到白芝麻，窗外天光更暗，刮不定方向的狂风，我远远看见小区里的清洁女工追逐几个飞到半空中的矿泉水瓶。我早饭刚吃不久，吃了半碗饭就搁下筷子，给萧孟剥出一小碗荔枝肉，絮絮叨叨给他讲刚才一边做饭一边看的连续剧。一股我们自己也陌生的柔情蜜意浮动空中，但这空气已经浸透潮潮水气，暴雨将至，我却并不担心，以为自己身处安全之地。

萧孟吃了三碗饭，他夹起最后一块排骨时突然说："对了，我接到一个访学邀请。"

我正想去厨房洗手，呆呆说："什么邀请？"

"访问学者，去柏林大学，一年的项目，对方给钱。"

"……哦，你要去吗？"

萧孟开始吃荔枝，说："去的啊，当然要去……这么好的机会……柏林大学物理系是全世界最好的之一……你知道吧？"

"当然"两个字有刀刃上闪出的光，我洗完手出来，说："我不知道。"

他继续说："反正迟早要访学的，评教授必须访学一年，我给你说过的吧？"

我摇摇头："你没有给我说过……那你什么时候去？"

"按理应该是九月，但我来不及了，尽量十一月吧"，萧孟终于意识到什么，说："你没有不高兴吧？一年，很快就过去了……你还能休点假，我们正好把东北欧玩一圈，上次只去了法国，你不是说想去布拉格？……真的，你没生气吧？你看我们现在其实也就一周见一次，赶上出差一个月一次都见不上也是有的，我就去一年，差不了多少，要不我回来一次？……不过我回来还不划算，不如你过来，我们在柏林过春节……"

他对得不能再对，我却再说不出一句话，昨天半夜浮出的含糊决定，被我慌张中强摁下去，现在又渐露出一点小头，我有点害怕，担心它终将在暗中长出力量。我洗完碗，出来对萧孟说："……刚刚才想起来，我有个必须处理的文件放家里了，我得先回去。"

萧孟本来已经在找衣服，大概是想陪我出去看电影，他关上衣柜，没有看我，说："也行……那我下午睡一觉，昨天没睡好，早上又七点就起来干活。"出门前我们还是 kiss goodbye，嘴唇碰到嘴唇，没有伸出舌头，刚吃过饭，两个人都没有刷牙，我吞下糖醋小排上那点酸甜味。

上车才发现耳环忘在盥洗台上。在伊斯坦布尔买的耳环，店主是个土耳其小男孩，执拗地不肯讲价，我们颇花了一点钱，耳环极美，真正奥斯曼宫廷风，暗银上镶蓝色宝石，配小礼服过于郑重其事，我就总用来配白衬衫，头发梳成辫子。

我们住在博斯普鲁斯海峡边，每天步行去加拉拉大桥底吃 3 里拉的鱼汉堡，轮渡离开码头时惊动漫天海鸥，萧孟出国前租了一个随身 wifi，坐在岸边木椅上刷微博，傍晚时天空绽出层层玫瑰紫色，海鸥发出凄厉叫声，我紧了紧身上的红色冲锋衣，鱼汉堡迅速冷透，咬下去腥味扑鼻。那是今年冬天，我们本来打算四月才去看郁金香，但两个人都挪不出时间，就选了腊月二十八过去，我猜他和我一样，对这个看似被迫的安排感到满意，因为这样我们就不用去任何一方家里过春节。双方父母当然是催我们结婚，旁人的催促并不真的难以应付，只是让我们私下里相处更觉尴尬，真的，我们为什么没有结婚？伊斯坦布尔轮渡的橱窗沿上刻着 "I DO"，其实是 Istanbul Deniz Otobusleri 的缩写，但我们一人拿着一杯 0.75 里拉的土耳其茶，专心避开那几个字母，往外一直一直望出去，海水汤汤，起初让人震动，后来也就不过那样。

伊斯坦布尔断断续续下雪，我们勉强去了蓝色清真寺和索菲亚大教堂，沿着电车轨道步行上山；萧孟牵着我的手，电车从远处驶近发出叮当声，不管从哪个角度偷拍，我们都是相爱的一对。清真寺要脱鞋，地毯濡湿，踩上去触感奇异，我用羊绒围巾包住头发，胡乱拍了两张照片，伊兹尼蓝瓷砖上的繁复花纹看久了让人目眩，后来我们在大巴扎买了一套类似花纹的小碗。刚才给萧孟剥的荔枝，就放在那个碗里，在萧孟说起访学计划时，我就死死盯住碗上花纹，直到失去焦点。

伊斯坦布尔、巴黎、台北、东京，我们在每个城市都买了精致碗盘带回北京；除了纽约，我们在纽约用的碗来自华人开的 99 美分店，白底红鹊，又用更红的颜料写着"百年好合"，我们一人抱着一个百年好合，吃韭菜猪肉馅的速冻饺子。我在车内等了一会儿空调让温度降下去，车窗久闭，通风口里无端端漫出韭菜味。透过车窗我看见萧孟拉上卧室窗帘，他大概真的想睡个午觉，如果我们今天不去看电影，他会让我陪他睡一会儿，我亲手挑的全遮光窗帘，藏身于后就像拉黑整个世界。在不用开口说话的时候，我们都眷恋对方身体的陪伴，只可惜大部分时候，不说话只是意味着冷漠。午觉不能无始无终睡下去，我们终需要拉开窗帘。

我先去人大对面的华星影城看了《麦兜当当伴我心》，最小的放映厅，还只稀疏坐满一小半，麦兜说"感情起初都是七彩斑斓的，按时在你的心里、肺里、肝里，搞着搞着，搞着搞着，搞久了，就会变得黑不溜秋，可是发黑的感情，内里还可以温软甜美的，只要我们还有音乐。"麦兜向来如此温情，我却突然心生厌烦，把座位换到最后一排的角落，安全通道的灯牌闪着荧荧绿光，清洁女工早等在边上，手持巨大扫把和簸箕，爆米花的甜腻香味在逼仄空间中散开，好像又炸了一次，让这一切更显得不可逃避。

　　我和萧孟都算喜欢音乐，有一年傅聪来北京开独奏音乐会，我买了 1280 的 VIP 票。傅聪弹各家拼盘，有舒曼的阿拉伯风格曲和海顿的 G 小调奏鸣，最后才有几首肖邦的玛祖卡，音乐没有任何错，只是有点不快乐，据说肖邦写 C 大调玛祖卡的时候，已经得了抑郁症，沉迷于麻醉药品。那天我们也不快乐，忘记为什么琐事吵架，音乐会结束后，两个人从中山公园西门走出去，暗中有层层树影，草木发蓬蓬清香，我们却一直没有说话，音乐不能拯救一切，光渐次消失，暗夜就是暗夜。我们到第二天才和好，和好的标志是萧孟问我："中午我们吃什么？"后来，后来我们叫了必胜客外卖，两个人合吃一份夏威夷芝心风光，萧孟把菠萝和黄桃都挑到我盘子里，吃完饭后，我们做了一次爱，没有什么花样，但也不能说不好，和大部分时候一样。

看完麦兜出来，我去必胜客打包了一个夏威夷风光，想着晚上回家就不用出门，一人份的比萨不能加芝心，这提醒我看了看手机，没有未接电话，萧孟大概还在睡午觉。有股怒气渐渐升到半空，像一朵黑色雨云，死死跟住我走到地下车库；刚上路就开始下雨，雷声让整个北四环动荡漂移，天色四沉，偶尔有闪电剧烈划过，是一刹那的惨白光明。车速先是降下来，后来就几乎堵死了，我找到一个出口出去，最初还有方向，知道应该尽量往东开，后来也就乱了，跟着车流走走停停，能右拐我就右拐，可以直行我就直行。车开过北海和故宫，水漫过岸边石板，地面流淌如河，让这个永远干涸的城市显得陌生，路上几乎没有行人，每辆车都打着双闪，雨雾中红色尾灯像两个含糊不明的警告。

我想摇下一点点窗，却迅速湿透了真丝白衬衫，外面风凉透骨，关上窗却还得开空调，开到二十七度还是冷极了，又不敢停车去后备箱拿长袖。等车载 CD 放完一整张莱奥纳多·科恩，我莫名其妙到了两广路上，这是晚上八点，雨终于大到让我害怕起来。

上一次遇到这样的大雨还是在纽约，飓风带来的暴雨淹了整个曼哈顿下城，我下课后千辛万苦回到上西区，我们在楼下超市买齐食物，在那间 17 楼的小公寓里一待三天。窗外风声越吹越紧，两人合抱粗细的梧桐树断了，半夜轰然倒在百老汇路上，我们本在沙发上接吻，我停下来，说："什么声音？"萧孟又凑上来，用胡子茬磨蹭我的下巴：谁知道，关我们屁事。"我做了一大锅罗宋汤配大蒜面包，等那锅汤吃完，天空变成蛋青色，雨终于停了，萧孟从床上跳起来，说："走，我们去成都印象吃水煮鱼。"

成都印象在 42 街第九大道上，把水煮鱼打底的豆芽也吃光后，我们走到海边，水涨得汹涌，海既无边缘，也没有终点。第九大道上有两条不知道什么鱼，翻白肚躺在人行道上，个头不小，还没有死透，我细细端详，开始对刚才吃的水煮鱼感到担心，萧孟牵着我的手说："我靠，再下两天是不是三文鱼也能上岸。"

车开到广渠门桥前，我看着桥下积水，衡量这辆凯美瑞的底盘高度，不敢再往前走，就把车停在辅路上。打包的比萨吃完了，我又拿起手机，再次确认上面没有未接电话，刚才我已经想起来，萧孟的手机被忘在办公室，他家宽带用歌华，就没有装座机，但如果他真的想给我打电话，当然也能想到办法。车里的比萨味闻久了让人恶心，我把窗摇下一个小缝透气，不知道萧孟晚上吃了什么，雨大到不可能再有人送外卖，中午他把菜都吃光了，冰箱里又没有速冻水饺；我不是真的担心，一个三十岁男人不会应付不了一顿饭，只是在这逼仄空间里，我不能控制自己想到这些琐事。

手机响的时候我略微惊吓，以为萧孟真的会去敲邻居的门借电话，看到屏幕上"赵霄云"的名字反而镇定下来。六年没有联系过的前男友突然出现，并不比现男友不顾一切联系到我，更让我感到意外。分手后我没有删掉他的电话，因为不想显得那样郑重其事，他的名字就一直留在通讯录的最后，赵霄云是广东人，热恋时把我的名字存成"阿奕"，这样我就能在最上头。我不相信他愿意每一次打开通讯录，都看见一个分手时不甚愉快的前女友昵称，他大概存回我的全名，让我安全地藏在 K 和 M 中间。

一辆红色 QQ 勇敢地冲过广渠门桥，它成功了，但却不过是堵在两百米以外的地方，我是一个胆小懦弱的人，也不觉得往前再走两百米有什么意义。我放倒驾驶座，开始和前男友打电话。

手机里有沙沙电流声，四下寂静，赵霄云问我："……你知道我是谁吧？"

我踢掉鞋子，缩在座椅上，说："知道……你怎么突然给我打电话？"

"翻通讯录，一下看到你号码，想知道你换了没有。"

"你也没换。"

两个人都确认对方没有删掉自己号码，让这通电话突然有了温度，赵霄云沉默了几秒钟，又说："你猜我在哪里？"

"这怎么猜。"

"大望桥底下，发动机进水，车熄火了。"

我也沉默下来。恋爱末期我们在那里熄过一次火，正是八月，烈日灼心的温度，比下雨前的闷热更让人绝望，因为看不到前头还有什么。等修车公司等了四十分钟，两个人都有股馊味，终于在最后十分钟吵起架来，开始只是拌嘴，后来渐渐吵得难看，我转头进了大望路地铁口。但我没有地方可以去，在东方新天地吹了八个小时空调后，我在半夜十二点回到赵霄云的房子，他一直没有找过我，他已经睡了，第二天要赶八点飞机。的确不需要找，他知道我不会出事，就像我知道他修好车后不过也就会回到家中。这个城市有两千万人，无论好事坏事都得排队取号才能轮到我们，他等到在同一个地方熄火，已经过去六年，我早有了自己的房子，和男朋友闹僵后不需要在商场星巴克吹彻骨冰凉的空调，赵霄云起码换了一次车，我们都到了三十岁。

我推开天窗盖，头顶闪电劈过，雨大颗大颗砸上玻璃。赵霄云看我没说话，大概以为我不想提及往事，就岔开话题："你现在在哪儿，雨下这么大，淋到没有？"

我不想让他知道我们都被困在路上，只隔着一条通惠河北路和一丁点两广路的距离，平添根本不存在的暧昧，就说："我在家里，今天没出去。"

他迟疑了一会儿，问："你……一个人的家？"

"我自己的房子，男朋友也有套房子。"

我告诉赵霄云自己有男朋友，却完全不想知道他的现状，但他不知道怎么涌出强烈倾诉欲："……我今年离婚了。"

我竭力表现出关心，问："哦……为什么？"

"没有明确的理由，糊里糊涂就离了，又没有孩子，离起来太容易，早上吵架，中午就拿到离婚证……可能当时结婚也没有明确的理由……阿奕，你说，我们分手是不是也这样？"

我觉得厌烦，为这一切，黏黏糊糊的前男友，不肯黏黏糊糊的现男友，感情、前程、人生，一场死都不肯停下来的暴雨。我跟赵霄云说："如果我们分手是这样，那我们在一起也是这样，都是这样，都差不多，你别想太多了，过这么多年了……我先挂了啊，有工作电话打进来。"

我心里知道，萧孟和我，并不属于"都是这样"，哪怕我们今天分手，哪怕我们热烈讨论分手费，我们也和所有人不一样，他们组成银河系，我们自顾自在宇宙外运行，并不想遵守天体力学的一切规律。但我懒得对赵霄云解释，我懒得对这个世界解释，这并不能改变什么，而且他们不懂。

又有辆SUV冲进桥洞，激起滔天浪花，但它并没有冲过去，猛然停在了桥底，我觉得这个场景滑稽，就用手机拍了一张，照片上落满雨点，虚得只有一点轮廓，像加了粗糙滤镜。手机终于没电，我找不到任何事情可以打发时间，也就缩起来睡了。雨声似鼓，一直不肯打得更轻，后来又似乎隐隐混进人声，我中途醒过一次，抬头看前面有男人涉水往桥洞里走，混沌中我想，这么晚了，这么大雨，怎么还有人走在路上，是不是也是找不到手机，只能走到他担心的人身边去？

等我彻底清醒，已经是清晨六点，积水正在后退，路沿上印下肮脏水迹，天色死白，像刚刚从噩梦中挣扎苏醒。我用水漱漱口，打开电台，想听天气预报，有个甜腻女声说："……五辆车搁浅水中，其中一辆越野车中被困男子虽被救出，但送医抢救无效身亡。据现场一位负责人介绍，共有五辆车被淹，有三辆被拉出，除越野车内被困一人外，其他被淹车辆内均无人。另据东城园林抢险的崔姓工作人员介绍，'当我走到离桥下不远处时，水已经漫到了我的下巴，因此只能后退'。该工作人员还说，据判断，桥下的水深至少有三米，被淹越野车看不到车顶……"

我开车穿过广渠门桥，速度最初只有二十码，但我踩了一脚到底的油门，这个清晨是死亡、失望和厌倦的血红混合物，让我只想快速离开现场，所有现场。在桥底我向窗外扔出手机，它沉下水底，没有发出一点声音。

第四个
二○一四年六月二十七日 南京

我上完两节课才赶去机场，路上反悔起码八次，但出租车上了机场快速，对面进城的车道统统堵死，我们找不到机会调头，就这样一路到了2号航站楼。正犹豫是不是坐机场大巴再回市区，汪染给我发一条语音微信："刚才在广州路门口遇到你的法语系姑娘，我靠，当年没注意胸这么大。"

法语系姑娘胸算不上大，经过多次目测，我认为她在 B 与 C 之间，十年过去，也许她大了一个码，也许她学会了穿内衣。在二手市场上第一次见到林奕，我推测她的胸是 B，但等到我真正摸上它们，已经只有 A，林奕说，四年里她瘦了十斤，先瘦下来的永远是胸。脱下内衣前林奕坚持关灯，她说，哎呀，有点不好意思，胸这么小。我们就关了灯，窗帘半开，莹白月光照在她莹白身体上，腰和腿都好，胸是差了一点，但我看它们一眼，又看一眼，心中舒服笃定，好像鸿蒙初开，万物有序。

我在纽约当然有过一夜情，没有玩真心话大冒险时说得那么随意，但的确有那么几次，在图书馆彻夜写 paper，对面的女同学也熬红了眼，妆完全糊掉。她打个哈欠，补好唇膏，说："天都亮了，不如去我家喝咖啡。"

我就去喝咖啡，然后留下来几个小时，我们的确需要咖啡，以及对方的身体。最后一次一夜情是个有点年纪的女人，在我的小公寓里，她读中世纪文学，红发，藏青色西装里不穿胸罩，红色丁字裤，她看出我许久没有性生活，分外温柔。她用手握住我的时候，我激动得不能自已，她含住我的耳垂，说，slow down。我没有 slow down，我们整夜没有休息，并没有严格遵守中世纪传教式：床、沙发、地板，地板很硬，硬有硬的快乐。我非常疲惫，肉体获得慰藉，灵魂也沉默下来，久不开窗，房间里弥漫着浓浓蛋白质腥味，早上她洗了个澡，回家前说："You have my number（你有我的号码）。"

我没有打过那个电话，我不后悔有这个晚上，但这个晚上让我更生迷思，渴望和另外的人有另一种性爱，我对某个未知的女人充满幻觉，嘴唇，皮肤，每一处柔软温暖的地方。我知道，那会和这个晚上完全不一样，这个晚上，这个晚上是我在沙漠行走，受不住诱惑喝下海水，事后既觉安慰，又觉干渴。

和林奕的第一个晚上也就那样，我差点找不到地方，她没有到高潮，但真的走到那里，我们又不觉得这件事有多重要，我们都不着急，知道会有很多个夜晚等在前头。后来当然也就好了，最好的时候，纽约飓风暴雨，我们三天不怎么下床，我两腿打颤，裸身起来给她拿奥利奥饼干泡牛奶。我自己也感到吃惊，不是因为我能做，而是因为我想做。到最后欲望和肉体脱离关系，只是一个人本能地想亲近另一个人。

分手这两年我没有女朋友，也没有一夜情，住在五环外毕竟不方便，我又正在评教授，需要各种小心。欲望来袭的时候，我拉上窗帘看一部古老的香港三级片。我下了不少三级片，存在一个移动硬盘里，李丽珍在《蜜桃成熟时》的开头唱着歌洗澡，我死死盯住她鼓鼓的圆脸，孩子气的粉红乳房，身体在右手的运动下精确炸裂，全程不过十分钟。十分钟就够了，我不觉得需要更多，夜晚悠长，我洗个澡换条内裤，继续写论文。我应该会在三十五岁成为教授，第二年开始招博士生，四十岁拿到长江学者，申请国家一级项目经费；我不会发财，但我会有一点钱，把房子换到四环，或者去昌平买一套别墅，有关前程的每个细节都没有差错，只是没有想象中让人快乐。

汪染以为我不想回学校，是因为不想见到林奕，但我知道林奕不会回去。她总是这样，在担心一件尚未发生的事情时，她习惯于让它提前发生，粗暴，然而很可能正确。分手时我们甚至没有见面，在打完一个通宵电话的第三天，我收到巨大纸箱，里面是我放在她家的各种琐物，分门别类塞满整个纸箱，从通州快递到海淀，纹丝不乱，她从来如此，万事万物纹丝不乱。至于她放在我家的，林奕说，都不要了，都不怎么重要，能打包收拾出来的东西，都不怎么重要。我把她的东西全收进纸箱放在储物间深处，用一张巨大藏蓝色床单罩住，两年里没有掀开过一次。我没有去挽回这件事，因为自尊，也因为我疑心她说得对，我们可以一直这样，一直到死，只是越来越糟，我们是真正好过的人，为什么要选择一路这么糟下去？林奕提出分手那天，我在小区池塘边挂掉电话，白日下荷叶莲莲，野藕生花，我愤怒许久，最后松了一口气。

汪染在 4 号宿舍楼下等我，说同学约好各自闲逛，晚上再一起吃饭。宿舍里就我俩回来了，回来也不知道该干点什么，轮流在楼前拍照，又找路人拍了个合影，然后也就是站在自行车棚前抽烟，我们一直有联系，没有近况需要更新，相对词穷，烟抽得很慢。

下午三点，睡醒午觉的男学生陆续出门，拎两个水瓶，斜背书包，人字拖踢打路面，韵律愉悦。夏日潮热，他们身上荷尔蒙夹杂汗水的味道冲破烟雾，我却穿着上课时的衬衫西裤，像月底冲业绩的银行工作人员上门办理信用卡。汪染昨晚就到了，来得及把西装换成牛仔裤，他大学时瘦到手脚不成比例地长，现在说不上胖，但也看得出三十三岁，像我一样。他拿出手机，给我看女儿照片，其实我都在朋友圈里看过，却也一张张赞美下来，烟抽到最后，喉咙干痒，我正想提议找个地方坐坐，汪染忽然说："丁零就死在这里。"

我抬头看看，是这个自行车棚，十年未换，翠色渐褪成灰，上面积两指尘土，南京怕是一个月没有下过雨，有只三花小猫趴在上面，白肚皮染成黑色，脚心有粉红肉垫。学校里一直有流浪猫，我突然想起来，丁零会买五毛钱的火腿肠，用一把铅笔刀切成小块，熄灯前大家都在酝酿鬼故事、各系女生排名以及手淫，他却拿着火腿肠下楼喂猫。丁零一直那样，他是做得出这种事情的人。

我问汪染："你还记不记得丁零长什么样？"

他想了想："好像戴个眼镜。"应该没有错，男生宿舍里，几乎人人都戴眼镜，但我们当中，只有一个人选择去死。他的眼镜最后大概碎了，细小玻璃碴散落草中，有猫踩上去，发出痛楚的叫音。

我又问："他到底为什么自杀？"汪染时常来北京出差，哪怕陪他喝酒喝到彻底冷场，我们也没有再谈起过丁零，这件事谁也不提，莫名成了禁忌。而所有成为禁忌的事情，都是因为过于重大，像一壶滚水，没人敢掀开壶盖，蒸汽灼人，我们都觉害怕，它自顾自烧了十年。

汪染摁掉烟头，说："谁知道，总不会真为了那场破恋爱，他本来就有病，你还记得吧，他一直都有点毛病。"一个谜团经过十年，成为更大的谜团，每个人都放弃寻找谜底，用"有病"两个字盖住一切让人不安痛楚的真相，说到底，它和每个人都没有真正关系。

距离晚饭还有两个多小时，我们只能往前走，经过两排新栽木槿，开满树粉白花朵。我家小区里也有木槿，花差不多开败的时候，林奕摸黑去摘几朵，放在汤面里，花瓣润甜，林奕说，昙花也可以用来做鸡蛋汤，口感更甜更细。但我们从来没有见过昙花，也没有特意去找，太美又太着急消逝的东西总让人担心，木槿很好，正常的美，正常的花期，一年能开三个月。

我在教育超市买了烤肠和珍珠奶茶，汪染看我吃得香，有点馋，转头也去买了一根，咬了两口扔了："我靠，全是淀粉，这有什么可吃的，我家里有只西班牙带回来的伊比利亚火腿，你要不要？"

　　我吸掉最后两颗珍珠，说："偶尔吃一次还行，淀粉解饿，我中午就吃了个飞机餐。"其实我没有吃飞机餐，航程短促，我来不及决定心情，已经抵达禄口机场。

　　图书馆前还是二手市场，茫茫一片水红色塑料布，堆满书、杂志、GRE 真题精选、热得快、洗破了的牛仔裤、用了一半的美白面膜、瘪掉的足球、扇叶磕掉大半块的鸿运扇、锅底生锈的两人份电饭煲。汪染看看我，大概怕我触景伤心，说："走吧，还是找个酒吧坐一下午，吹吹空调，他妈的南京怎么越来越热。"

　　汪染从来没有搞明白我和林奕发生了什么，开始他问我"我靠到底怎么好上的？"，我说"跟你说不清楚"。后来他问我"我靠到底怎么分了的？"，我说"跟你说不清楚"。我记得两个人关系中的每一个分岔弯路，我知道说出来不过惹人耻笑，所以我从来不说。

　　我把二手市场一家家逛下来，买了一个鲜红色 iTouch，一个裸女形状的打火机：摁一下左边乳头，火从红唇里喷出来，再摁一下右边，火灭下去。市场还是老样子，女孩子打着太阳伞，男孩子晒得通红，隔壁摊位的人轮流去教育超市买冰饮，地面滚烫，每个人都拿一本教科书垫屁股。只是没看到谁卖盗版金庸全集，现在不大容易再买到盗版书，我后来买了一套三十六册正版修订版，《笑傲江湖》结尾多一大段拙劣说理，

《天龙八部》里王语嫣并没有爱上段誉，我后悔读了这个版本，回忆无端端被搅浑。

有个女孩的塑料布上歪歪放着一套书，我隔二十米看见封面，就知道是那套三卷本《追忆似水年华》，女孩子大眼浓眉，只是微胖，又穿一条明黄色紧身连衣裙，更显四处局促。她大概怕走光，不敢坐下来，一直站着等生意，打一把教育超市里十五块的天堂伞。我走过去，拿起那套书问她："这套多少钱？"

她翻翻定价，说："五十吧。"

"好看吗？"

"名著啊，普鲁斯特你不知道？"

"我知道是名著，但不知道好不好看。"

她有点不好意思，笑笑说："其实……我也没有看完……"

"为什么不看完，很忙？"

"大一买的，总觉得以后能有时间，想着四年呢，做什么都来得及……但最后还是没有看完，后面……后面就一直在准备考托福。"

我没有买下这套书，我已经有一套，就放在右边床头柜的第二个抽屉里，第一个抽屉放安全套，通常有两盒，两种牌子，第三个抽屉是护照、港澳通行证和房本，装在黄色文件袋里。林奕有点强迫症，厨房里每块抹布都有固定位置，酱油碟和醋碟边疆明晰各不侵犯，她做饭先把所有菜切好，一溜儿小碗放在灶台上，这才开火下油，但我们还是一团乱账地分了手。

十年里有那么几次，我打算读完这套书。最近那次是在去伊斯坦布尔的飞机上，临时决定过去，没有买到直飞航班，要在乌鲁木齐转机，十二个小时被划分为两段，让每一段都更显漫长，却又做什么事都担心来不及。我读到一百页，吃了两顿飞机餐，木制书签就一直留在那里，回来的飞机上我当然可以继续读下去，但我睡了一路，醒过来看到舷窗外滚滚云层，太阳照出金边，林奕专心致志，用 iPad 看一部国产连续剧，她看我醒了，递过来一个洗好的苹果。

我问过林奕有没有看完这套书，她说有的，刚从美国回来那个月，她调不过时差，就下了一套在 kindle 上，每天清晨四五点起来读几十页，居然也就这么读完了，没有想象中长，真的，其实也就两套金庸的时间。

我又问她，到底写了些什么？林奕正在洗碗，她不喜欢戴塑胶手套，满手洗洁精泡沫，房间里旋绕柠檬香气。她潦草地说，也没什么，就是一些琐琐碎碎的事情，有一册基本就写了一顿晚饭。说完之后，她把热水开到最大，水声喧嚣，我回到客厅沙发上看体育新闻。我还是不知道这套书写了什么，我对一套书维持了十年的好奇心，它一直就在手边，在纽约的五年放在《鬼吹灯》和《量子物理史话》中间，我读完了全套十三本鬼吹灯，读完了《量子物理史话》，但不知道为什么，我始终没有把这套书读到一百页以后，总有别的事情心急如焚地横亘在前面：学位、论文、职称、恋爱、分手，一切。

我用裸女打火机给自己和汪染再点上烟，从广州路大门出去往右走，空气欲燃，让那支紫南京更难以下咽。两个男人漫无目的往前走，我们平日联系多到不方便叙旧，却又陌生到不可能谈心，前面马路茫茫，路旁有人顶着烈日卖青绿李子，我沉默了一阵，问他："你和王芊怎么样？"

王芊做了几年财经记者，后来去一家小上市公司做PR，我在上海见过她两次，穿窄身裙，尖头细跟鞋，头发末梢微卷，染成含蓄的深咖啡色。林奕也差不多那样打扮，只是她一直黑发，喜欢梳辫子。王芊当上公关总监才放心休假生孩子，在她犹豫不决的两年里，汪染和公司里一个小姑娘有过一段。他带小姑娘来北京出差，在后海喝酒时介绍给我说是"同事"，也就喝到第二杯黑方，他揽住小姑娘的腰，对方轻微扭动了一下，并没有真的挣扎。我只好错过眼睛，看湖上男女在月光下开黄鸭电动船，岸边有人钓夜鱼，黄鸭控制不住方向，剧烈地向鱼线撞过去。我觉得汪染是在不快乐中控制不住方向，撞向另一种不快乐，鱼线不破，一切只在暗中发生。

这件事我不知后续，王芊生了一个女儿，一切又恢复秩序，好像婚姻生活中了无名病毒，但杀完毒之后这套系统也能体面示人。汪染的朋友圈每天发一套女儿的九宫格，女儿长得可爱，但也不过是两岁小姑娘都有的那种可爱：苹果脸，小肉腿，小肚子，夏天穿绵绸碎花裙，短视频里渐渐学会了嗲着声说转折词，"所以"，"但是"，"然而"……然而我觉得闷，我和林奕恋爱到最后两年也闷，有时候要努力一会儿才能硬，但我知道我们是不一样的，永远如此。

汪染漫不经心说："还行啊，挺好的，我们又买了一套学区房，我给你说过没有，就在浦东，五百多万。"

我也就问不下去了，我悚然发现，汪染从来没有跟我谈过他的感情生活。他大学有个女朋友，毕业后换了一个，王芋是第三个，他不会主动和女孩子分手，但被分手好像也不让他痛苦，他的女朋友越找越美，到了王芋，那是一个接近9分。汪染是那种在起点和终点中间划一条直线的人，以前我也试图如此，我以为人人都应当如此，我和林奕不可能走到直线以外，不知怎么，生命出现了意料之外的转折词：然而，尽管，虽然，但是。

我们在青岛路上找了一家酒吧，准备在晚饭前先喝两扎冰黑啤，汪染和我每次见面都是这样，起先无话可说，后来开始喝酒，酒精打开喉咙，流出无意义的话语。屋内几乎坐满，快毕业的人和毕业十周年的人混杂其中，有些桌大哭，有些桌沉默，我们只能坐吧台，紧挨着边上的姑娘：姑娘穿一件白衬衫，灰色短裤，圆脸浓眉，头发梳成马尾，说不上美还是不美，也看不出年纪，孤零零拿个杯子，我能闻到伏特加冲鼻的辣味，也不加冰。我看她一眼，过了一会儿想起什么，转头再看一眼，又戳戳汪染，让他也看一眼，他看看她，又看看我，露出"我靠不可能吧"的表情。

黑啤上来了，巨大怀疑像气泡一样渐渐上涌，我终于忍不住开口问她："你……你是不是二〇〇〇级天文系的？"

她转头看看我和汪染，又喝了一口，说："是，我认得你们，你们是丁零隔壁宿舍的吧。"

我们死命灌下半扎黑啤，绝望地寻找话题。又过了一会儿，这次是她先开口："你们也回来参加毕业十周年聚会？"

我说："是，不过没多少人，天文系回来的人多不多？"

她摇摇头说："不知道，我没参加。"

"那你……？"

"我每年都回来看看。"

接下来当然该问她回来看什么，但我们都知道她回来看什么，我突然冲动起来，问她："这些年……你怎么样？"

她招手要一盘盐水花生，想了想说："……挺好的……应该算挺好的……"

"什么叫应该算？"

"就是真的挺好的……工作挺好……买了房子……还没结婚，但也不是没有机会结婚。"十年前我们从来没有说过话，没有想到，有一天她会对着我们用一句话交代人生。

她给我们抓了一把盐水花生，花生过咸，每个人只能加速喝酒，我也点一杯伏特加，又点一杯伏特加，终于在下午四点让自己茫起来。没有茫到失去意识，只是徒增勇气，我问她："丁零他……他到底为什么要死？"

她直直看着我，我这才发现她化了淡妆，粉底偏白，遮住青色眼窝。乍眼望过去，她像是从十年前的8号宿舍直接走到这里，但定睛看清，又发现有另外一张脸浮动其上，像习惯近视的人忽然戴上度数正确的眼镜，分不清眼前重影虚实。

她说："你们信不信，从来没有人当面问过我这个问题，从来没有，好像没人敢问我……我觉得我是知道的，但我说不清楚……真的，很难说清楚……他到底为什么要死？"

汪染也喝多了，控制不了自己，说："不就是为了你吗？了不起啊，有个男人为了你去死。"

她笑了笑："我知道你会这么说，很多人都这么说过吧……"有人掀开厚厚门帘进来，酒吧里本来灯光昏暗，一时间白日朗朗，每个人都眯上眼。她剥开一颗瘪下去的花生，说："……也可以这么说，他是为了我去死……但不是我有什么了不起，了不起的是他……"

酒吧的背景音乐放得轻，仔细辨认能听到是个低哑男声，唱 There's no one insight, and were still making love, in my secret life……她继续喝酒，说："我们其实从四月份就没有见过面了，我说要分手，他来找过我两次，就两次，后来真的就没有见过了……学校那么小，只有一个食堂，大家都是十二点去打饭，都是去图书馆吹空调，不知道怎么回事，就是没遇到过……他找我说什么？也没说什么，就问了我两次为什么要分手，我就把那些话反复说了……也没什么话，就是说大家毕业不在一个地方，谈恋爱太麻烦了。我真觉得太麻烦了，我跟他说，大部分人一辈子会谈很多次恋爱，不要把这次看那么重，我说的也没有错，你们说是不是……他说什么……他也没有说什么，他就来来回回说，为什么我们一定会是大部分，他说他觉得我们和大部分没有关系……最后那次都四月底了，不知怎么还那么冷，他穿那件厚毛衣，蓝色的，我们站在8号宿舍楼下。那天又下雨又刮风，我临时被叫下来，外套都没有穿，他也说不出什么新意，我有点不耐烦，我说，分了就分了，你这样有什么意思，你到底要怎样？"

　　吧台上方的射灯只开了一半，我拿不准自己是不是看到大滴大滴眼泪落在杯子里，她接着说："他没说他要怎么样，他走了，天真冷啊，我们都在发抖，他发着抖走回去……别的，别的我都想不起来了，他死了以后我拼命希望自己想起来，但真的忘了，我们也就谈了不到一年，连床都没上过……你们不相信吧，真的没有过，就有一次差一点，我们去爬紫金山，迷路了，半夜还困在山上，就在路边，差那么一点，没成功，忘记了为什么没成功，可能是找不到地方，第一次总是不容易成功……我以前有过经验，他没有，他把这看得很重要。他说，不着急，我们以后还有的是时间……不是说我看得不重要，但我……但那个时候我以为我知道什么是重要，我觉得和更重要的事情比起来，这些就都……那时候，那时候我只觉得他有点呆，但也不是理科生那种呆，是和我们都不一样的呆……当然了，他和我们都不一样……你们，我，我们所有人。"

她喝完那杯就走了，给我们留下小半份花生。汪染反复拿起一颗瘪掉的花生，又反复放下，鬼打墙般重复说："我靠，神经病……我早看出来了，那是个神经病……"但他的声音也渐渐低下去，我觉得他哭了，我们认识十四年，我见过无数次他说"我靠"和"神经病"，但这一次他哭了。

我走到路边，这个城市轻霾滚滚，夏天依然是没有商量的夏天，风中有火，烧向每一个犹豫不决的人。我看见那火烧过每一个我们留下印记的城市，迎面而来追逐自己，催促我回到过去。

我松松衬衫领口，打到一部出租车，机场高速一路拥堵，死死堵在天禄大道时，我边上经过一车猪，每一只都神情呆滞，看着前路。我感到庆幸，为我不是一只猪，为我是自己走向前路。我会在今晚回到北京，必须今晚，我们一生中会有四个夜晚，现在还剩这最后一个，我心急如焚，要让它发生在今天。

图书在版编目(CIP)数据

北方大道 / 李静睿著. —桂林：广西师范大学出版社, 2017.6 （2017.8 重印）

ISBN 978-7-5495-9678-2

Ⅰ.①北… Ⅱ.①李… Ⅲ.①故事 – 作品集 – 中国 – 当代

Ⅳ.①I247.81

中国版本图书馆CIP数据核字(2017)第090204号

广西师范大学出版社出版发行

　桂林市中华路 22 号　邮政编码：541001
　网址：www.bbtpress.com

出　版　人：张艺兵
责任编辑：罗丹妮　吴桑雨
装帧设计：尚燕平
封面插画：尚燕平
内文制作：龚碧函
全国新华书店经销
发行热线：010-64284815
山东鸿君杰文化发展有限公司　印刷

开本：850mm×1168mm　1/32
印张：8.5　字数：140千字
2017年6月第1版　2017年8月第2次印刷
定价：38.00元